故宫经典 CLASSICS OF THE FORBIDDEN CITY
RHINOCEROS HORN IN THE COLLECTION OF THE PALACE MUSEUM

# 故宫犀角图典

故宫博物院编
COMPILED BY THE PALACE MUSEUM
故宫出版社
THE FORBIDDEN CITY PUBLISHING HOUSE

**图书在版编目（CIP）数据**

故宫犀角图典／故宫博物院编 . - 北京：故宫出版社，
2012.8（2020.4 重印）
（故宫经典）
ISBN 978 - 7 - 5134 - 0298 - 9

Ⅰ . ①故… Ⅱ . ①故… Ⅲ . ①犀角 - 古器物 - 中国 -
古代 - 图集 Ⅳ . ① K876.92

中国版本图书馆 CIP 数据核字 (2012) 第 171215 号

**编辑出版委员会**

| | |
|---|---|
| **主　任** | 单霁翔 |
| **副主任** | 李　季　王亚民 |
| **委　员** | 纪天斌　陈丽华　宋纪蓉　冯乃恩 |
| | 胡建中　闫宏斌　任万平　杨长青　娄　玮 |
| | 宋玲平　赵国英　赵　杨　傅红展　苗建民 |
| | 石志敏　余　辉　张　荣　章宏伟　尚国华 |

**故宫经典**
**故宫犀角图典**

主　　编：刘　岳
撰　　稿：刘　岳　刘　静　张林杰　谢　丽
英文翻译：许晓东　张　艾
摄　　影：冯　辉　胡　锤　刘志岗　赵　山　刘明杰　马晓旋
图片资料：故宫博物院资料信息中心
责任编辑：方　妍　张志辉
责任印制：常晓辉　顾从辉
整体设计：王　梓
出版发行：故宫出版社
　　　　　　地址：北京东城区景山前街4号　邮编：100009
　　　　　　电话：010-85007808　010-85007816　传真：010-65129479
　　　　　　网址：www.culturefc.cn
　　　　　　邮箱：ggcb@culturefc.cn
制版印刷：北京雅昌艺术印刷有限公司
开　　本：889毫米×1194毫米　1/12
印　　张：24
版　　次：2012年8月第1版
　　　　　　2020年4月第2次印刷
印　　数：3001～6000册
书　　号：ISBN 978-7-5134-0298-9
定　　价：420.00元

# 经典故宫与《故宫经典》

郑欣淼

　　故宫文化，从一定意义上说是经典文化。从故宫的地位、作用及其内涵看，故宫文化是以皇帝、皇宫、皇权为核心的帝王文化和皇家文化，或者说是宫廷文化。皇帝是历史的产物。在漫长的中国封建社会里，皇帝是国家的象征，是专制主义中央集权的核心。同样，以皇帝为核心的宫廷是国家的中心。故宫文化不是局部的，也不是地方性的，无疑属于大传统，是上层的、主流的，属于中国传统文化中最为堂皇的部分，但是它又和民间的文化传统有着千丝万缕的关系。

　　故宫文化具有独特性、丰富性、整体性以及象征性的特点。从物质层面看，故宫只是一座古建筑群，但它不是一般的古建筑，而是皇宫。中国历来讲究器以载道，故宫及其皇家收藏凝聚了传统的特别是辉煌时期的中国文化，是几千年中国的器用典章、国家制度、意识形态、科学技术，以及学术、艺术等积累的结晶，既是中国传统文化精神的物质载体，也成为中国传统文化最有代表性的象征物，就像金字塔之于古埃及、雅典卫城神庙之于希腊一样。因此，从这个意义上说，故宫文化是经典文化。

　　经典具有权威性。故宫体现了中华文明的精华，它的地位和价值是不可替代的。经典具有不朽性。故宫属于历史遗产，它是中华五千年历史文化的沉淀，蕴含着中华民族生生不已的创造和精神，具有不竭的历史生命。经典具有传统性。传统的本质是主体活动的延承，故宫所代表的中国历史文化与当代中国是一脉相承的，中国传统文化与今天的文化建设是相连的。对于任何一个民族、一个国家来说，经典文化永远都是其生命的依托、精神的支撑和创新的源泉，都是其得以存续和赓延的筋络与血脉。

　　对于经典故宫的诠释与宣传，有着多种的形式。对故宫进行形象的数字化宣传，拍摄类似《故宫》纪录片等影像作品，这是大众传媒的努力；而以精美的图书展现故宫的内蕴，则是许多出版社的追求。

　　多年来，故宫出版社出版了不少好的图书。同时，国内外其他出版社也出版了许多故宫博物院编写的好书。这些图书经过十余年、甚至二十年的沉淀，在读者心目中树立了"故宫经典"的印象，成为品牌性图书。它们的影响并没有随着时间推移变得模糊起来，而是历久弥新，成为读者心中的故宫经典图书。

　　于是，现在就有了故宫出版社的《故宫经典》丛书。《国宝》、《紫禁城宫殿》、《清代宫廷生活》、《紫禁城宫殿建筑装饰——内檐装修图典》、《清代宫廷包装艺术》等享誉已久的图书，又以新的面目展示给读者。而且，故宫博物院正在出版和将要出版一系列经典图书。随着这些图书的编辑出版，将更加有助于读者对故宫的了解和对中国传统文化的认识。

　　《故宫经典》丛书的策划，无疑是个好的创意和思路。我希望这套丛书不断出下去，而且越出越好。经典故宫藉《故宫经典》使其丰厚蕴涵得到不断发掘，《故宫经典》则赖经典故宫而声名更为广远。

# 目 录

## Contents

# 中国古代犀角雕刻工艺

刘 岳

作为更新世以来大型陆栖脊椎动物的孑遗，犀牛有活化石之称。随着气候的变迁和人类活动的影响，它们的数量逐渐减少，它们的习性不再为人所熟知，各种各样的传说给它们蒙上了些许神秘的色彩。在中国文化的视野中，犀牛的角不仅是一种名贵的药材，还是一种珍稀的工艺材料。用犀角制作的工艺品，成为传统艺术中一类特异的存在。虽然犀角工艺传世实物有限，文献记载支离，但当我们不断搜辑史籍的吉光片羽，比勘作品的细节信息，试图勾勒其发展的大致轮廓时，却不得不由衷地感叹，即令是这样一个不被关注的领域，牵涉的方面依然十分深广，隐身其后的种种政治、经济动因及所折射的时代好尚、审美心理与思维模式等文化结构要素，都是意蕴无穷且开掘不尽的。

## 一 犀与犀角的一般特性

进入历史时期，犀牛共有 5 个亚种生存，包括亚洲犀 3 种：印度犀（Rhinoceros unicornis）、爪哇犀（Rhinoceros sondaicus）和苏门答腊犀（Didermocerus sumatrensis）；非洲犀 2 种：黑犀（Diceros bicornis）和白犀（Ceratotherium simum）。印度犀和爪哇犀只生独角，苏门答腊犀与两种非洲犀均为双角。独角犀的角位于鼻端，双角犀的角，一前一后，分别生在鼻端及额部。

鉴于亚洲犀与中国古代犀角雕刻的关系显然更为密切，故将它们的特征胪列如下[1]：

表一：三种亚洲犀牛主要特征比较表

| 种别 | | 印度犀（大独角犀） | 爪哇犀（小独角犀） | 苏门答腊犀 |
|---|---|---|---|---|
| 体貌特征 | 体型 | 亚洲犀中体型最大，肩高 1.5 米 ~ 1.75 米，身长可达 3.5 米，体重 2 吨以上。 | 体型较小。 | 体型最小，肩高 1.1 米 ~ 1.36 米，身长 2.5 米 ~ 2.8 米。 |
| | 色泽 | 体色黑。 | 体色暗灰。 | 体色近土或黑色。 |
| | 毛发 | 除耳、尾部外，全身几无毛。 | 除耳、尾部外，全身几无毛。 | 多毛。 |

| 体貌特征 | 表皮 | 颈、肩、腰腿等部，都有显著的皮肤褶皱，且分布很多瘤状突起。 | 颈、肩、腰腿等部，都有皮肤褶皱，但不显著。无瘤状突起，但有鳞状小圆突。 | 仅肩部一处有褶皱。无任何明显突起。 |
|---|---|---|---|---|
| | 角 | 不论雌、雄均生1角，角呈圆锥形，末端不尖锐，长度可达30厘米～40厘米。 | 角较短，雌性多不生角。 | 雌雄均具双角。雌性前角长约15厘米，后角约5厘米。雄性角长可以达到雌性的3倍。 |
| 习性与栖息环境 | | 喜独居，多栖息于河沼边及水草茂盛的湿地附近。食草、水草等。昼伏夜出。 | 多栖息于丘陵地带，或林木茂盛处，偶见于海拔较高的山地。食树叶、小枝等。 | 多栖息于丘陵地带的丛林中。性情较温和，有被驯服的记录。 |
| 分布国家与地区 | | 分布于印度的阿萨姆，以及尼泊尔和不丹一带。由于保护得力，种群数量稍多。 | 曾分布于孟加拉，中南半岛的泰国、马来西亚以及印度的锡金、阿萨姆和印度尼西亚的苏门答腊、加里曼丹和爪哇等地。现仅存于爪哇岛，数量极少。 | 分布于缅甸和中南半岛的泰国、马来西亚等地，印度阿萨姆和印度尼西亚的苏门答腊和加里曼丹等地，数量稀少。 |

两种非洲犀的形体及角，一般均大于几种亚洲犀，特别是成年雄性白犀犀角的平均长度在60厘米左右，其前角甚至可以达到120厘米以上。

犀角生长于犀牛头盖骨的结节上，从外部形态而言，即与牛、羊、鹿角等有根本区别（图1）：犀角是无角柱而终身不脱换的角质纤维角；牛、羊角是由骨质角柱和包裹角柱之角鞘构成的空角；鹿角则是在生殖季节前脱换，由角柱和外包毛茸之皮肤构成的实角。就成分而言，犀角源于真皮层的角质化，主要包含角蛋白（Keratin）、胆固醇、磷酸钙、碳酸钙等，还含有其他蛋白质、肽类、游离氨基酸、胍衍生物（Guanidine derivatives）、甾醇类等[2]，成分更近于毛发，故有一种形象的说法是"头发的凝集"。去掉外皮后，犀角在纵向呈现出与发丝或竹丝相似的丝状纹理，而在基底或横断面则呈现排列均匀似毛囊、状如鱼子[3]或气泡[4]的独特颗粒状细纹，古人称"粟纹"（图2）。应该说，材质本身的独特性是犀角雕刻能从各种骨角雕刻中脱颖而出的重要因素之一。

图1. 犀角原材　故宫博物院藏

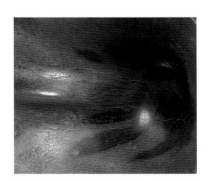

图2. 犀角（局部），经处理后，其独特纹理清晰可辨

## 二 从文献看古代观念世界中的犀与犀角

在过去时代的思想观念与知识范畴内，犀与犀角有什么样的地位？这看起来似乎与犀角雕刻关系不甚紧密。然而，工艺研究的实践表明，与文化的、心理的、审美的动机相联系的因素却在很大程度上形塑着一种人工造作的兴起与演化。反之而言，从这个朦胧的镜像中，我们也可以领略古代观念世界那种独特的思维模式与认知结构。

### （一） 从熟悉到陌生的认识过程

在秦汉时代以前，国人对犀的形象并不陌生，即使中原地区也是如此。这一点可以从流传至今的造型艺术品中找到旁证。商晚期的四祀邲其卣（图3），耳部塑造成双角犀首状，十分写实；小臣艅尊（图4），则为一完整的苏门犀造型，特征准确，略作夸张，圆浑可喜，足见制作者对其外貌了然于胸；而可能晚至战国末西汉初的错金银云纹犀尊（图5），依然细节逼真，孔武有力，生气勃勃，难

图3. 四祀邲其卣（局部） 商晚期 传河南安阳出土 故宫博物院藏

图4. 小臣艅尊 商晚期
清道光时山东寿张出土
美国旧金山亚洲艺术博物馆藏

图5. 错金银云纹犀尊 西汉
1963年山西兴平豆马村出土
中国国家博物馆藏

怪有学者将其与小臣艅尊并称为"北方产犀时代两座闪光的纪念杯"[5]。

而从秦汉以后，随着犀牛的生活范围逐渐向南退却，人们对其形象与习性的认识日渐模糊，各种附会和凿空之论羼杂进来，且随着知识盲点的扩大，而变得越来越不可分辨。如《说文》中解"犀"为"一角在鼻，一角在顶，似豕"，文字简略，却已有不尽不实之处。未曾亲见者难以想象犀牛额角位置，于是将其移到了头顶。到了东晋郭璞注《尔雅》"犀似豕"谓"形似水牛，猪头，大腹，庳脚，脚有三蹄，黑色"，都相当准确，但说到角则又进一步："三角，一在顶上，一在额上，一在鼻上。"这种说法影响极大，慢慢成为经典论述，后人大多沿袭成说，更有甚者又加入更多耳食与想象，层累相积，成为一笔糊涂账。

唐宋时期的人已经不大认得犀牛。唐高祖李渊献陵前写实的爪哇石犀形象（图 6），很可能只是个特例，因据《旧唐书·南蛮传》记载，林邑国（今越南中部地区）贞观初曾"遣使贡驯犀"，所以石像恰有模特可资依凭。而如唐代金银器上的犀牛纹饰（图 7）写实性就差得远了，只基本特征尚不离谱而已，一角也已移到了头顶上。另一事件则更具典型意味。北宋嘉祐三年（1058 年）六月，交趾（今越南北部、中部地区）自称贡进"麒麟"，史书中描述其"状如水牛，身被肉甲，鼻端有角，食生刍、果瓜"，显然是犀牛，但朝中竟无人能识，在咨询广州的番商后才知"乃山犀"[6]，而博雅如沈括者，还煞费力气地考证其为传说中的"天禄"[7]。到了明清时期，书籍插图中的犀牛几乎都被描绘为头顶生角的黄牛（图 8），说明当时人头脑中犀的形象距离实际已是十万八千里了。偶尔见到如乾隆时人王大海在《海岛逸志》中的辨析"犀牛……头一角在鼻梁，世所绘角在额上（当指头顶）者误也，此余所目睹"[8]，正应了"百闻不如一见"的老话，可惜并无补于全局。

图 6. 石犀　唐贞观九年（635 年）　西安碑林博物馆藏
原置于唐高祖李渊献陵前

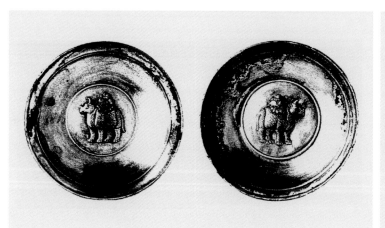 

图 7. 银犀牛纹盘　约 8 世纪中叶　卡尔·凯波藏（引自齐东方《唐代金银器研究》）　图 8.《三才图会》所附犀图

至于犀角，要特别留意的就是虚构出来的顶上之角，因为它与著名的"通犀"，或曰"通天犀"[9]有密切的关系。早在《汉书》卷九七中就以"通犀……之珍盈于后宫"来夸饰武帝时国家殷富，"殊方异物四面而至"。颜师古注引三国魏如淳语谓"通犀，中央色白，通两头"，是用花纹解释该词之嚆矢。东晋葛洪所述更为详细："通天犀角有一赤理如縆，自本彻末。"且具有分水、骇鸡、避邪、解毒等神奇功能[10]。唐宋时又衍生出通天犀花纹"形似百物"[11]之说，其纹"或如日星，或如云月，或如葩花，或如山水，或如飞走，或如龙鱼，或成神仙，或成宫殿，至有衣冠眉目杖履毛羽麟角完具，若绘画然"，至于成因，有人说是"犀爱一物，玩之久，则物形潜入角中"。这种海客谈瀛似的说法，连转述者都认为超出经验太远，"不可以理推"[12]。而所谓"通天犀"正是"脑上角千岁者"，其"能出气通天，则能通神"[13]。说到这，我们岔开一笔，李商隐诗句中称"一点通"者为"灵犀"，明了以上诸说，似可别有会意。

除通犀外，文献中又常见骇鸡犀、却尘犀、辟水犀、夜明犀、辟暑犀、蠲忿犀[14]等名目，有些还与通犀混合，成为其神异的表现之一。其实，以"骇鸡"一词为例，本为梵文或孟语"犀"之对音[15]，所谓"置米中鸡不敢啄"

之类奇谈怪论根本就是建立在对一个译名的过度诠释之上。至于其余种种也大都是隔膜日久后生出的想象罢了。

其实，犀角在我国越来越依赖于进口，大多数人连见到实物的机会都很少，更遑论能有什么深入系统地认识了。在故宫博物院的藏品中我们曾发现一件千字文编号[16]为"阙九〇五4"的牛角小杯，其包装木盒的盒盖内面贴有黄色纸签，墨书楷体："解毒杯。是犀角杯。乾隆二十一年十二月十一日，钦命西洋人郎士（世）宁、汤执中等认看，云解水中诸毒力大于兽角碗。"奇怪的是其材质显非犀角，由于盒与物不是严丝合缝，故而还不能断定"解毒杯"是否即指此杯。而"兽角碗"未见，只木盒尚在，编号吕八三四，盖内亦书"兽角碗。似犀角琢成，乾隆二十一年十二月十一日，钦命西洋人郎士（世）宁、汤执中等认看，云解诸酒毒、水毒力大于解毒杯"，内底书"西洋"二字。据这两件实物上的信息可知，即令不乏珍异之材和专门人士的内廷，也只能求助西洋人来辨识犀角，而对其说法中的矛盾抵牾之处，似乎除了记录备案外，竟不能置一词。从此不难推想国人对犀与犀角的生疏已达何种程度。

### （二）　对犀角优劣的评判

若仅从文献予人的印象而言，似乎唐代以前犀角常常与神话传说相联系，除前文中已引述的种种奇异名目外，《异苑》中"燃犀照渚"[17]、《续齐谐记》里犀导化小儿[18]等故事都颇有代表性，而宋代以后则逐渐过渡至知识性、经验性描述，准确程度或可再议，取向的改变确是实实在在，它是否与中国社会的世俗化进程有关呢？这个问题很耐人寻味。关于犀角等级的言论主要出自后一段时期的记载。由于良材是美器之基，某些著名匠师更是非"佳犀"[19]而不愿一展其能，因此，在谈论犀角雕刻之前，我们有必要先梳理一下古人对犀角优劣的判断标准。

概括言之，标准无外有二：一为外形分量，二为质地纹理。通常，"成株肥大"是最基本的要求，像那些"瘦小分量轻"的，"但可入药用"[20]。而质感上，宋人以"犬鼻"[21]来形容上品犀角的滋润光洁，相当生动；花纹则以"通天犀"且"备百物之形者最贵"[22]。通天犀经葛洪描述，后来越传越玄，前已备述。同时，另有一种说法转述者少却令人恍然：唐人将斑纹黑黄相间的"斑犀"概称"通天犀"，到宋以后"其辨益详"，分出"正透"、"倒透"等品目，标准于是进一步细化："正者，世人贵之，其形圆，谓之通天犀。"[23]而所谓"透"，即"通"也，是用来描述犀角内部天然色斑浑然一体效果的专有名词，"正透"指"黑质，中或黄或白"，"倒透"指"外晕皆黄，而中涵黑文"[24]。大概元明以后又出现"重透"一名，指黑中有黄，黄中有黑，或黄中有黄，黑中有黑的纹理。因此，"通天犀"也就是"正透"纹犀角，等级最高，而有重透纹者也是等级较高的，倒透要低一些，只有散乱斑纹的又差一等，纯黑无花的不值钱，只能车象棋子[25]。明万历十七年（1589年），提督军门周详允获准的一份"陆饷货物抽税则例"中规定："犀角，每十斤花白成器者税银三钱四分，乌黑不成器者税银一钱。"[26]可以作为实践此标准的一个实例。因此，用一句话概况就是："犀角白而带花者为上，黑为下。"[27]不过，倘入药，则"以黑者为胜，其角尖又胜"[28]。除颜色、斑纹外，去掉外皮的犀角，还有一种纵向的发丝状纹理，在基底或横断面则呈现排列均匀如毛囊的独特细纹，即"粟纹"，也是分别优劣的标准之一[29]。它们共同构成了另一个专门用语"云头雨脚"，形容角身色浅丝纹隐现如雨线，而顶端色深朦胧如云团的效果。"云头雨脚分明"[30]是鉴别器物的要素之一。宋人甚至将以上经验总结为一句口诀："云头雨脚要分明，正透尤佳倒透纹。"[31]

此外，犀捕得即生取其角，称为"生角"，等级较高。

有人认为这样犀角会瞬间充血，纹理更佳，故称"照之有血晕者，价两倍"[32]。而从死犀头上取下的角称"倒山角"[33]，一说在商人口中称"鬼犀"，是犀角中的下品[34]。

宋人还有一些针对不同产地犀角质量比较的经验之谈，诸如"出临河路者为妙……亦有蛮犀、川犀，不好"[35]之类。值得注意的是，其中大多数都指出国产不如海外进口，像"今以南海者为上，黔、蜀者次之"[36]、"出黔南者，在南海之下"[37]，而"生大食者"，又远比交趾等东南亚所产为好[38]。我们知道大食是不产犀牛的，所谓"生大食者"恐怕多半是非洲犀角。这类说法除部分现实依据外，主要来自物以稀为贵的心理，至于殊方异宝所特有的神秘感以及某些广告性宣传，同样是不可小觑的因素。到了宋代以后，随着中国境内犀牛逐渐灭绝，类似比较也就日益减少了。

## 三 犀角雕刻的方方面面

### （一）犀角的产地与来源

在今天，犀牛只分布在地处热带的非洲中、南部以及亚洲南部的印度、爪哇、苏门答腊等地，而在战国秦汉以前，中国境内也有犀牛生存，而且数量还应颇为可观。

据瑞典学者阿尔纳（Arne）所著《河南石器时代之着色陶器》，1922年法国传教士桑志华及德日进曾组织科学考察队，在宁夏东部检出旧石器时代之动物化石中即有犀牛，而斯加拉阿索果尔河地层最下及油坊头亦有相同发现，说明旧石器时代中国北方为犀、象长养之地[39]。进入新石器时代，在浙江余姚河姆渡、河南淅川下王岗等遗址中都发现了犀骨[40]，而直到殷商晚期的安阳殷墟发掘出的动物遗骨中，也鉴定出犀牛的骨骼[41]。这都表明在很长的一个历史阶段犀牛的分布很广，哪怕是人口稠密的中原地区也不乏其活动的

痕迹。至于南方各地，在先秦文献中更是成为犀的主要产地，如《尔雅·释地》谓："南方之美者，有梁山之犀、象焉。"《墨子·公输篇》："荆有云梦，犀、兕、麋、鹿满之。"《国语·楚语》："巴浦之犀、牦、兕、象，其可尽乎？"

而据《尚书·禹贡》等文献，禹划九州，扬、荆二州均有齿、革之贡，一般注疏皆以为齿为象牙、革为犀皮。这虽有后人推测成分在内，但先秦时期以犀皮制甲，《考工记》等材料说得都很明确，其防御功能正与杀伤力有限的青铜兵器相适应。至于扬、荆二州，涉及的范围大致相当于今江苏、安徽、湖南、湖北、贵州及两广部分地区。直到《三国志·吴志》注中引《江表传》还载，曹丕改元黄初，遣使东吴，求犀角、象牙等珍玩之物，吴臣认为这类物品荆、扬二州贡有常典，魏所求不合礼制，有轻慢之意。说明犀依然是这一地区的特产，只是贡进之物已不是犀皮，而是犀角。

事实上，秦汉以后犀牛在北方已不多见，关中地区至迟在西汉晚期已经绝迹。元始二年（公元2年）王莽遣使命位于"日南之南去京师三万里"的黄支国进献生犀。显然，倘若当时中原野犀尚多的话，此举就没有多少可资炫耀的意味了[42]。唐代能保证犀角贡赋之地还不少，《新唐书·地理志》中列举的有澧、朗等13个州[43]。其中最北的为施州，相当于今湖北西南的恩施地区，约北纬30°20′，野犀应可分布至其北的长江三峡地区。到了宋代，其活动北界向南退缩得很快，能保障贡赋数量的地点急剧下降到只有一两个地区。雍熙四年（987年），有犀自黔南入万州（今四川万县），《宋史》当作"变怪"之事记入《五行志》，说明当时野犀之罕见。明清时期，其生存状况恶化更甚，不仅分布不断南移，而且区域范围不断收缩，主要的三处亦彼此隔离：四川和贵州毗邻地区；广西东南部和两广毗邻地区南段，即六万大山和云开大山一带；云南

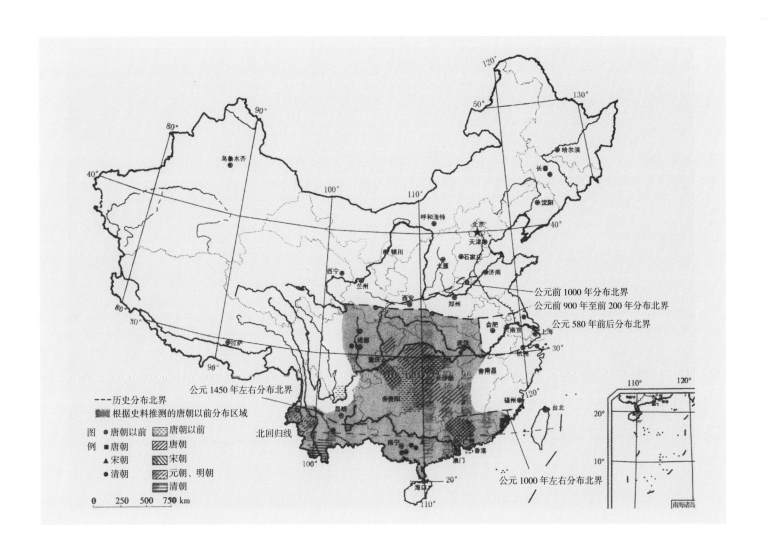

图 9. 中国古代犀牛分布历史变迁示意图
（引自文焕然《中国野生犀牛的古今分布变迁》）

西南部地区。20 世纪初，有调查显示两广、云南等地还有零星出没记录，但其灭绝的大势却无可挽回了[44]（图 9）。

野生犀牛在我国的灭绝，一方面是因为气候的变迁，白居易的名篇《驯犀》记载由东南亚进献的犀牛冻死在长安，是很生动的例子。另一方面，人类的活动，特别是为获得犀皮、犀角而对犀牛进行大肆捕杀，可能才是更为致命的原因。前述宋雍熙年间野犀窜入万州，即遭捕杀，"获其皮、角"。有人曾经统计，元代以后只滇南各土司进贡犀角就有 79 ~ 123 支之多[45]，从中可见野犀悲剧性命运之一斑。

随着犀牛在我国逐渐稀少，土产各地犀角来源日蹙，对犀角的需求却不曾稍减，故而从汉代甚至更早，犀角便是重要的进口物品之一。正如《隋书》卷三一所言："南海、交趾……多犀象玳瑁珠玑，奇异珍玮，故商贾至者，多取富焉。"唐宋时期，海外贸易繁荣，国家设有市舶司等专门机构管理相关事宜，"番国岁来互市，奇珠瑇瑁，异香文犀，皆浮海舶以来"[46]。这些贸易来的犀角大多出自东南亚产犀地区，不过，通过阿拉伯商人的中介，更有些远航东非海岸的中国商船，将非洲犀角也运往了东方[47]。作为殊方异宝代表的犀角，一度成了国家垄断的商品，宋太宗太平兴国二年（977 年）诏令禁止私贮犀角、象牙、香料，舶货不得自由买卖，惩罚颇为严厉，这就使得"外国犀象、香药充牣京师"[48]。不过，民间贸易的持续性和深广度不可小觑，时人指出西南地区及沿海港口所见的犀角，"皆非所出乃所聚耳"[49]。像广州等处，很早即为中外贸易的排头兵，《史记·货殖列传》谓："番禺，亦其一都会也，珠玑、犀、瑇瑁、果、布之凑。"此后其地犀角之类依然"往往来自番舶"[50]，到明清时，相关贸易在朝贡体系的框架内进行，广州还是占据重要位置，"香珠犀象如山，花鸟如海，番夷辐辏，日费数千万金"[51]。而在新航路开辟以后，沿线地区所产犀角源源输入中国，终于孕育出 16 ~ 18 世纪犀角雕刻的繁荣时代[52]。

此外，犀角还是一些产犀的藩属国或试图与中国建立外交联系的国家投其所好的贡献物和礼品，史书中所载极多，这里限于篇幅，不能赘引。只举一小例：万历二十九年（1601 年），利玛窦觐见明神宗时所进献的方物清单中即赫然有犀角一个[53]。本书图版 69 之西园雅集杯移用了一首乾隆题诗，其中自注谓安南国王阮光平进献大犀角，正好用以制器，说明这一来源至少对宫廷犀角雕刻还是有促进作用的。

不过，就总体而言，原材的数量似还不足以支撑犀雕成为规模与影响较大的工艺门类。我们仅从清宫造办处遗留的《活计档》来看，即使宫中在承做活计时犀角材料亦时有不敷用的情况，如乾隆十五年（1750 年）为做七宝上（镶）犀角碗，将库贮大犀角二件持进呈览，结果高宗的旨意是："不准用大犀角，着挑小犀角用。"[54]而同年本拟制作"银法（珐）瑯（琅）座犀角碗"，则干脆传旨："犀角既不足用，做银间镀金的。"[55]而改作器物时镟下的犀角末子五钱，也要交到药房，不能浪费[56]。在乾隆四十六年（1781 年），曾传旨查核广储司库内共收贮犀角几件，回奏皮库仅有六件，于是再命"明年暹罗国人来，如呈进犀角，题奏伺候"[57]。可以说，犀角原材的数量实际上制约了这项工艺的发展。

## （二）犀角雕刻工艺简史

犀角工艺之始，限于资料，目前还不清楚。依其他门类的情况，骨角之用开始极早，犀角的制器功能当也可被先人认识，只是将其特殊对待并刻意加以搜求的过程，还难以详细描述。在《尔雅·释器》中有"角谓之觡，犀谓之剒"等语，东晋郭璞注其为"治朴之名"，宋邢昺则疏

解所谓治朴是"俱未成器"。然则，犀角粗加工工艺既已冠以专名，表明至晚在周时，犀角工艺应具备了一定的独立性。而目前掌握的材料中，若依时代缕叙，以近人罗振玉著录的一件出自殷墟的"筒形残器"为最早，据他的描述，该器"空中而无当，上敛下广，但存半筒，不知为何物。雕文至精，验其材，乃犀角也"[58]。然殷墟科学发掘有年，却未见有相似实例，故其说近于孤证。而据《周礼·地官》载："掌节：掌守邦节而辨其用，以辅王命……守都鄙者用角节。"郑玄注："角用犀角。"孔颖达疏："犀角是角中之贵，故知不得用玉者，当用犀角。"孙诒让《正义》引《汉旧仪》谓，秦以前民以金、玉、银、铜、犀、象为玺，即后之玺节，据此明角节用犀。不过，有关守都鄙者用角节之说大都还只是推测，即使较早的郑玄也承认"其制未闻"[59]。又有学者分析《诗经》中一再出现的"兕觥"亦本为犀角所制，山西石楼出土的角形青铜器（图 10）正是仿照其形而来[60]。凡此种种有关早期犀角制品的说法，

图 10. 商晚期龙纹觥
1959 年山西石楼桃花庄出土
山西省博物馆藏

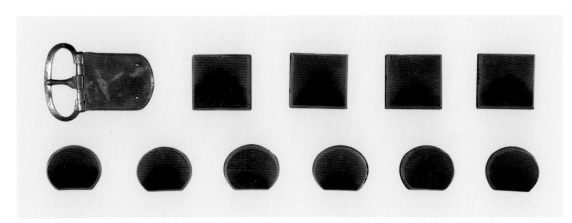

图 11. 斑犀偓鼠皮御带（残欠）

图 12. 斑犀把白牙鞘御刀子

图 13. 三合鞘刀子

具，如簪、导、箸[61]等，还有与士阶层之礼仪与时尚联系密切的犀具剑[62]、犀柄麈尾[63]、犀如意[64]等。

唐代诗文小说中涉及犀角制品者更多，仅从名目上已可知其品类较前更为多样。尤其重要的是，在日本奈良东大寺之藏宝仓库正仓院内，收藏有相当于这一时期的犀角制品实物。该建筑分为北仓、中仓和南仓，尤以北仓所藏最值得重视。因北仓内收贮圣武天皇遗爱之物，由光明皇后于天平圣宝八年（756 年）圣武四十九日忌辰时呈献给东大寺卢舍那佛，并有《献物帐》（又名《国家珍宝帐》）及《种种药物帐》记录在案。此后这批文物一直珍藏于正仓院，未经扰乱，到明治时代脱离东大寺，划归皇室专有，直接由宫内厅负责管理。因日本的奈良时代（645 ～ 780 年）是唐风极盛的时期，故正仓院北仓文物即令不产自中国，也应为受到唐代时尚影响的反映，是我们讨论这一阶段中国工艺的很有价值的参考。检点出版资料中的北仓犀角制品，计有：

1. 斑犀偓鼠皮御带（残欠）（北仓 4，图 11）；

2. 斑犀把白牙鞘御刀子（北仓 5，图 12）；

3. 三合鞘刀子（北仓 8、9，图 13）；

4. 犀角杯（北仓 16，图 14、图 15）；

5. 犀角器（北仓 50，图 16）。

前几种分属服饰、文房等类，均见于《献物帐》，最后一种归入香药类，见《种种药物帐》。最堪注意者包括

均有待进一步讨论验证。

晚此而至唐代之前，文献中涉及犀角制品之处渐多，但基本上一笔带过，又几乎没有实物留存，因此依然难以深入探讨。大抵其品类越益丰富，且不单有服饰、生活用

图 14. 犀角杯

图 15. 犀角杯

图 16. 犀角器

2件犀角杯:甲高5厘米,口最长15.5厘米,最宽8.4厘米,重76.8克;乙高4.1厘米,口最长10.2厘米,最宽8.3厘米,重77克,为同类制品目前所知最早的例证,虽光素无纹,但器形优美,甲之莲瓣形口,乙之五瓣式样,均无懈可击。还有斑犀带銙也不容忽视,我们将在后文详述。此外,正仓院中仓藏大佛开眼仪式之贡献品,南仓为东大寺珍物,亦有不少犀角制品可供参考,但性质需进一步甄别。中仓较主要的如犀角原形杯1件(中仓75)及28件犀角把刀子中的绝大部分(中仓131),南仓则主要有各式犀角如意(南仓51～56)[65]。

结合这一阶段的实物与文献描述,可知此时比较重视犀角本身质地纹理之美,不以显示雕工为目的,为了更好地衬托,有时还选择与其他贵重材质相结合的办法。这种做法的延续时间可能不短,在《天南行记》中载元世祖至元二十六年(1289年)安南入贡方物,其中有"花犀盏盛用金堞一口,重三两"、"楞金犀盏一口,楞金五钱"[66],推测还是因器物少用雕刻与染色,故需金银之类搭配,以添华美。

宋代文化甚为发达,各种工艺均有长足进步,犀角工艺当无例外。虽然目前还未见有可信的实物传世,但此时文献中论及犀与犀角的产地、花纹、等级乃至各种犀带銙的文字远较之前为多,认识也更为深入,其中不少观点影响深远。

此时海外贸易尚有相当规模,因此土贡犀角之地虽不断减少,但进入中国的犀角总数依然可观。我们从《建炎以来系年要录》所引《宣和录》中看到,靖康二年(是书作建炎元年,1127年)二月金人攻破汴梁,掠走北宋"大内诸库、龙德两宫"珍宝无数,内里"花犀"一项达到21840斤[67],数量惊人。想来有一部分是为皇家造作机构文思院承接"金银犀玉工巧之制"[68]而准备的。至于民间之犀角工艺品交易亦很普遍。据《东京梦华录》载,北宋皇城东南角东角楼街巷中有潘楼酒店,其下每日自五更"市合"(按指每天定时开市),买卖各种犀玉珍玩等物[69]。当时贩卖犀角制品的应不止这一处。而在南宋时的《百宝总珍集》里还留下了高宗以后自西夏贩进犀盏的价格:"有每只值钱二三十贯者,又有已下者,更看大小做造如何。"[70]

据《元史·百官志》载,元代官方营造机构将作院下设温犀玳瑁局,掌成造犀、象等器皿造作;修内司下设犀象牙局,掌两都犀、象龙床、卓(琢)器、系腰等事,可见其时犀角雕刻工艺在官手工业中所占重要地位。

在这一时期,犀角制品的性质似伴随文人士大夫生活方式审美化倾向的深化而不断向清赏类文房器具演进。元人孔克齐曾谓"古今无匹者,美玉也……古犀次之",又说:"古犀,斑文可爱,诚是士夫美玩,固无议者矣。"[71]他所指的"古犀"是何样貌,尚不得其详,不过,这种观念却很可能是导致明清犀雕仿古风格泛滥的理论先导。

今天能够见到的犀角制品实物,一般认为大多作于明清时期,而又以从明晚期至清早期的17世纪前后为最繁荣阶段。距离那个时期不远的乾隆皇帝就曾指出:"明制犀角杯甚多。"[72]近人叶恭绰也在《遐庵谈艺录》中谈到:"明尚犀杯,几为贵游不可少之物,与宋重犀带同,至清代乃忽不重视,是所传大抵皆明代作也。"又说:"清初似尚相当重之,不知何时始变异。"[73]明代中晚期犀角工艺的勃兴,是与整个世风日渐奢靡相联系的。《明史》卷二三五载御史孟一脉上疏,痛陈万历时"民间习为丽侈……一物而常兼中人数家之产。或刻沉檀,镂犀象,以珠宝金玉饰之"。时人于慎行亦大声疾呼:"今士庶之家,初登仕版,即购犀、玉酒器以华宾筵,不亦侈乎?"[74]根据当时松江府上海县豫园主人潘允端的《玉华堂日记》记录,他在万历十九年六月十六日买入一件犀杯,用银八两,同书记炭一百篓上下亦不过此数，牛、马一头尚绰有余裕，证明犀角制品确实价格不菲[75]。盖因这一时期商品经济因素活跃，市镇日益繁荣，市民普遍追求安逸享乐的生活，于是大大刺激了犀角等奢侈品的消费，而新航路的开辟，私营海外贸易的兴盛，也在一定程度上保证了原材料的供给。

此时犀角制品的类型，我们还不能很清楚地掌握，但根据记录嘉靖四十四年（1565年）查抄权臣严嵩家产的物品清册《天水冰山录》所开列，至少应包含如下品种：

金镶玳瑁、犀角、牙、香等带：镀金镶花犀带三条；镀金镶光犀带七条；犀角带三条。

金镶珠瑂犀象玳瑁等器箸：金镶犀角茶盅九个；金镶犀角酒盘一十九个；金镶犀角荷叶杯一个。

珍奇器玩：牙镶犀角屏风一座；犀角大小盆碗九只；犀角雕花杯二只；犀角杯六只[76]。

值得注意的是，目前能够见到的实物绝大多数均为杯盏，犀带之类几乎没有传世，这是什么原因呢？由于缺少相关记载，我们暂时只能推测：一是犀杯使用人群广，等级限制少，制作数量本就比犀带等大；二是清代服制改变，装銙带已退出历史舞台，犀带的保藏亦受到影响；这不免带来第三个猜度，既然重视程度降低，会否被改为药用？曾有亲历者谓："百十年来因药品之需要，（犀角）价值日昂，（制品）多售于药肆碎供服饵，故传世日稀。"[77]

犀角制品从以带銙等为主转向以杯、盏为主，也是中上阶层生活方式演变的一种反映，更与宴饮娱乐的时尚紧密相关。当时有一种看法认为以犀杯盛酒，可以产生独特的香气，如周亮工在《书影》中谓："世人共云犀爵酌火春后，则香骤减。予过温陵，黄东厓相国以火春酌犀饮予。泉州举郡皆以为非此不足以发犀香也。论乃

大异。"[78]这是说酒可发犀之香，而李渔在《闲情偶寄》中所论则更详且陈义相对："酒具……富贵之家，犀则不妨常设，以其在珍宝之列，而无炫耀之形，犹仕宦之不饰观瞻者……且美酒入犀杯，另是一种香气……玉能显色，犀能助香，二物之于酒，皆功臣也。"[79]似乎是以为犀杯增酒之香，不论如何，类似既肯定其内敛的审美格调，又强调其功能性的标举，都为犀杯的流行提供了理论依据。而且，从使用者的描述来看，犀杯似乎并不是普通酒具，而是多作为"劝杯"，即酒宴过程中用来劝酒的珍贵材质酒杯，在主客及陪客间传递，每次都需饮干[80]。在清人谈迁的《北游录》里，曾记述云南保靖"土官延客"："主人方举箸自起行酒，至十余。金、银、犀、玉等器一酌不再侑。"因"其礼大抵拟于王公"[81]，并非边地之俗，故亦可证明犀杯之类在宴饮过程中的用法。

而以犀角制饮器还有一个原因是经常被提起的，就是古人认为它有极强的解毒功能，即乾隆皇帝所称的"解鸩因为器"[82]。在今天看来，犀角的药用功能显然被夸大了，但这对犀杯的制作可能起到了一定的促进作用。它们不单可以饮酒，还被用来"贮茶"[83]。类似观念甚至影响到外国人，如马司顿（Marsten）在《苏门答腊史》中就称："犀角能解毒，故制为酒杯。十五世纪，泰雷司（Ctesias）称印度一角犀之功用，谓角制杯有奇效云云。"[84]

犀杯作为珍贵的酒具，可以作为朋友间互赠的礼品。晚明东林领袖赵南星就曾赠予陈方伯（号荆山）一只，并在诗中说："酌我犀角杯，遥思浇磊砢。"[85]似有遥相呼应，以为祝祷之意。也可以作为有吉祥寓意的寿礼，如抗倭名将、戏剧家汪道昆的《荷叶犀杯铭》"挹甘露，注青莲，为君寿，寿万年"[86]，其意甚明。同时，犀杯还是一种重要的收藏品。著名文人王世贞曾在信中自称："旧藏两犀杯，乃宋物……取紫酡酥点西京葡萄于此杯，对进之，当不恶。"[87]

可惜他只是一笔带过，没法让我们揣摩明人眼中的"宋物"到底是什么样子。可以说，犀杯已经逐渐融入精致化的文人生活方式的方方面面，其内涵越来越丰满。

更值得注意的还有此时以犀杯为代表的犀角制品，不仅像其他工艺门类一样，突出雕刻意匠，而且流行的造型，往往掏空器芯，这样一来前述之虚实两个层面的所谓"通犀"花纹似乎都不能显出，正如沈从文先生早就注意到的："明清人作酒器，中心必须挖空，由于应用要求不同，再不会过问有无白透子。（笔者过手的实物不下 200 件，就没有一种符合通犀情况的。可知酒器事实上不在那线白心！）"[88] 仿佛工匠和消费者都一下子失去了对于纹理的那种热情，这是很值得深入考索的问题。然而转变是怎样发生的，我们还缺少足够的实物和文献来说明。

为了更好地配合雕刻纹饰，器形的塑造也越来越受到重视。虽然文献中早有犀角制品经过"蒸煮"[89]的工序，不过，明清时更着力追求的是改变材料的原型，如扩大或外撇其口部，拉长或弯曲其尖端等。除去加热的方式外，目前证实有效的办法是浸入"苛性钠"，俗称"烧碱"溶液中，可使犀角膨胀、柔软，且不会伤及组织结构[90]。不仅如此，这时对犀角制品进行染色也是相当普遍的，多种文献里都提及用红色凤仙花加矾或涂或煮的一种工艺[91]，很可能就是令传世实物显现更为单纯而深沉色泽的原因。这可能和精英阶层的仿古、玩古意识逐渐浓厚有关，犀角制品不仅在器形上吸收古代青铜器的因子，而且在器表上追求古色古香的典雅和内敛，几乎和以前完全异趣了。

正因对这种转变的不了解，使得清代的某些解经者在面对"兕觥"与当时犀杯的差别时，甚而怀疑犀角在古代是不用来制的："今之角觥皆称犀杯，不知犀文颇阔，仅入药饵……未闻琢为服玩，其不以为酒器，更可知。"[92]类似误会也从侧面再一次表明了犀角工艺史之晦暗难明。

当时制作犀角器物的地区主要集中于手工业繁盛的江南地区，如苏州、无锡、嘉定、金陵等处。崇祯间《吴县志》载当地物产中即有"犀杯、犀梳、犀簪、犀带"等，道光四年（1824 年）刻本《苏州府志》卷一八亦谓："其象牙、犀角之属，以制日用诸器，皆适于用。"广州作为海外贸易之前哨，有得天独厚的优势，成为犀雕中心之一不足为奇。而且，它在学习苏州等地经验的过程中逐渐发展出地域的优势，正如《广东通志》所称："谚曰：苏州样，广州匠。香、犀、象、蜃、玳瑁、竹、木、藤、锡诸器俱甲天下。"[93]值得一提的还有福建沿海，如漳州一带，也是不可忽视的犀雕产地。据崇祯六年（1633 年）《海澄县志》载，当地输入犀角原材后，"澄人镂以为杯及为簪、为带"。时人何乔远所编方志《闽书》中也记载，崇祯时"海澄有番舶之饶……若犀、象、玳瑁、苏木、沉檀之属，麋然而至，工作以犀为杯，以象为栉……"[94]而邻近的德化窑所烧制外销白瓷中有一品种，一望可知仿自犀角杯形（图 17、图 18），从中不难想见当地犀雕确然兴盛。一些以犀雕名世的匠人也开始涌现于各地，他们大都一专多能，使犀雕与其他雕刻工艺，如竹刻、牙雕、玉雕等关系更为紧密。

至于清代宫廷制作犀角雕刻的情况，我们掌握得还不很充分，目前看来，其制作数量有限，质量也不如预想中高明，即便是各种工艺均称总其大成的乾隆朝也不例外。或许，也只有犀雕一项没有在此时期发展至一个历史的高峰阶段。

在乾隆中晚期以前，《活计档》中记录有关犀角的活计，大抵以配座或配锦匣、锦袱等为主，还有少量收拾见新的活计，如乾隆三十九年（1774 年）将一件犀角碗的足缺处镟去，另起底足，碗里外见新[95]。又偶见在现成器物上刻字或加款的情况，如乾隆八年（1743 年）着刻字作将犀角圆盒一件带往圆明园，查古画内有"墨林"二字，刻在盒底上，后刻"子京"字样[96]；乾隆十九年（1754 年）传旨如意馆

图 17. 德化屈斗宫窑
白釉梅花纹杯（残）
故宫博物院藏

图 18. 德化窑白釉鱼龙纹杯
故宫博物院藏

图 19. 犀角蓬瀛仙侣图杯
台北故宫博物院藏

在犀角圆杯盘的杯底照盘底一样刻阳文款，将犀角莲瓣高足杯底上刻"大明宣德年制"阴文字款，刻好后入"乾清宫古次等"[97]。至于以上器物的制作年代则不得其详。

这一阶段真正制作完整器物的记录极少。仅乾隆七年（1742 年）曾命照一件犀角匙箸瓶之颜色作一香盒，照一件犀角香盒颜色作一匙箸瓶，推测应以犀角来完成[98]。而乾隆十七年至二十二年（1752 ～ 1757 年）命通武作"犀角班（扳）指八件"，并配"商（镶）金银海棠盒"，可以说是比较重要的作品了（详本书图版 162 说明）。

直到乾隆四十六年（1781 年），才有造办处制作"犀角蓬瀛仙侣觥"的实例（图 19）。此器保存至今，上有"大清乾隆仿古"及"辛丑"纪年御题诗。乾隆五十三年（1788 年）如意馆为新做得的云龙四喜犀角杯配山水座画纸样[99]；同年又为新做得的西园雅集犀角杯配座画纸样，并交启祥宫刻字[100]。后者现藏故宫博物院，有"大清乾隆仿古"款识及"乾隆己酉御题"诗句（本书图版 69），而在同年为犀角云龙杯作的御题诗里乾隆自矜地写道"命匠敦淳朴，作杯斥巧浮"[101]，表明他对犀角工艺关注虽晚，但强调古雅浑朴的宫廷审美格调，却与玉雕等其他工艺类别一脉相承。

有关清宫传世犀雕作品的情况，现据《活计档》、《故宫点查报告》及两岸故宫已发表的材料综合董理成下表以备查考（见表二）。

本表所列以成器为主，原材及药品酌收部分。编排顺序依点查报告之编、册、卷序。因点查报告某些定名较模糊，加之笔者手边资料有限，故失收及疏漏难免，敬希指正。

表二：《故宫物品点查报告》中所见犀角制品及现藏情况一览

| 千字文号 | 原定名 | 数量 | 原藏宫室 | 现藏地 | 款识及其他信息 | 参考时代 | 参考资料 | 备注 |
|---|---|---|---|---|---|---|---|---|
| 天三五五 | 犀角仿古牵（群？）真海会觥（带匣） | 1 件 | 乾清宫东暖阁 | 台北故宫博物院 | 大清乾隆仿古 | 清乾隆 | 《犀角器皿面面观》 | |
| 天三八九 | 犀角蓬瀛仙侣觥（底有御制诗、带座、锦包及木匣） | 1 件 | 乾清宫东暖阁 | 台北故宫博物院 | 大清乾隆仿古及御制诗 | 清乾隆 | 《匠心与仙工：明清雕刻展·象牙犀角篇》图三二 | |

| | | | | | | | | |
|---|---|---|---|---|---|---|---|---|
| 天一二〇一 | 犀角觥［代（带）座、袱］ | 1件 | 乾清宫西暖阁 | 台北故宫博物院 | | 清前期 | 《匠心与仙工：明清雕刻展·象牙犀角篇》图三一 | |
| 天一二五二 | 仿古犀角觥［代（带）袱、座］ | 1件 | 乾清宫西暖阁 | | | | | |
| 天一二七九 | 犀角饮中八仙图觥（带锦包、锦匣） | 1件 | 乾清宫西暖阁 | 台北故宫博物院 | 文枢 | 明末清初 | 《匠心与仙工：明清雕刻展·象牙犀角篇》图二九 | |
| 天一三四一 | 犀角蟠螭觥（带木座） | 1件 | 乾清宫西暖阁 | | | | | |
| 成三三五-18 | 犀角乘槎杯（乾隆御题，带木座） | 1个 | 斋宫诚肃殿 | 故宫博物院 | 尤通款及御制诗 | 明晚期至清早期 | 见本书图版 | |
| 藏一二七-6 | 角爵 | 2个 | 景仁宫 | 故宫博物院 | | 时代不一 | 见本书图版 | 原记录称带"金盖金座，盖嵌绿宝石"，今所见实物都无盖、座。 |
| 调一五四-50 | 大小犀角花插（内一有乾隆御题） | 3个 | 钟粹宫 | 故宫博物院 | 其中西园雅集杯有御制诗 | 时代不一 | 见本书图版 | 《活计档》乾隆五十三年十月记"做得西园雅集犀角杯一只"。 |
| 致二三一 | 大小犀角杯 | 2个 | 茶库 | 故宫博物院 | | 清 | | |
| 云九〇〇 | 犀角杯 | 1个 | 如意馆 | 故宫博物院 | 永春珍玩 | 明晚期 | 见本书图版 | |
| 露一〇六-6 | 犀角仙舟 | 1个 | 敬事房 | 故宫博物院 | | 清早期至清中期 | 见本书图版 | |

| 露一〇六－18 | 犀角雕花笔架 | 1个 | 敬事房 | 故宫博物院 | | 明晚期 | 见本书图版 | |
|---|---|---|---|---|---|---|---|---|
| 丽九八九－3 | 大小犀角杯 | 23个 | 古董房 | 故宫博物院 | | 时代不一 | 见本书图版 | 编号8、14、21，三件现藏处不明。 |
| 丽一四六－2 | 犀角碗（带青玉茶托） | 2件 | 古董房 | | | | | |
| 为四九九－4 | 犀角仙槎 | 1件 | 咸福宫 | 故宫博物院 | | | | |
| 昆一六五－49 | 犀角斝 | 1个 | 南库 | 故宫博物院 | 胡星岳作 | 清早期至清中期 | 见本书图版 | |
| 昆一六七－68 | 角班（扳）指（带木盒） | 7个 | 南库 | 故宫博物院 | 其中二件有金银丝镶嵌"乾隆年制" | 清乾隆 | 见本书图版 | |
| 昆二〇一－1/2（？） | 犀角雕仙人乘槎笔架（？） | 1个 | 南库（？） | 故宫博物院 | 尤雷复 | 明晚期至清早期 | 见本书图版 | 《点查报告》昆二〇一记为一"木柜"，内文物共89号，并无与此相似者，不知是否原号有误，存疑。 |
| 昆二〇三－96 | 雕刻犀角花篮 | 1个 | 南库 | 故宫博物院 | | 清中期 | 见本书图版 | |
| 昆二二八－47 | 犀角破酒杯 | 2个 | 南库 | 故宫博物院 | | 明晚期 | 见本书图版 | 仅知其一为荷叶式，另一件现藏处不明。 |
| 昆二四二 | 犀角嵌银丝包铜镀金鞘牛角柄小刀 | 1把 | 南库 | 故宫博物院 | | 清 | | 《点查报告》记作："木箱一个（内盛小把刀多柄未计数，瓷料小鼻烟壶及皮葫芦等件未计数。此箱加钉、贴封，件数未计）。" |

| | | | | | | | |
|---|---|---|---|---|---|---|---|
| 雨五八五 | 犀角雕云龙花插 | 1个 | 漱芳斋或重华宫厨房区域 | 故宫博物院 | | 清乾隆 | 见本书图版 | |
| 雨八二九 | 犀角 | 1个 | 漱芳斋或重华宫厨房区域 | | | | | |
| 吕一二〇七 吕一二〇八 | 犀牛角（带木座）／大小犀牛角 | 1对／10个 | 养心殿 | | | | 《点查报告》："以上二号共一木盘。" |
| 吕一六六一 | 大小犀牛角 | 17枝 | 华滋堂 燕喜堂 | | | | | |
| 吕二〇三七-2 | 犀角坠盒 | 1个 | 华滋堂、燕喜堂 | 台北故宫博物院 | | 清前期至中期 | 《匠心与仙工：明清雕刻展·象牙犀角篇》图三三 | 实为火镰盒。 |
| 金四九六-10 | 犀角杯 | 3个 | 永寿宫 | 台北故宫博物院 | | 时代不一 | 《匠心与仙工：明清雕刻展·象牙犀角篇》图二六、图三四 | 发表其中之二。 |
| 金五八〇 | 大小犀角杯 | 4个 | 永寿宫 | | | | | |
| 金六七六 | 犀角杯 | 1个 | 永寿宫 | 故宫博物院 | | 清早期 | 见本书图版 | |
| 金七四六 | 犀角 | 2支 | 永寿宫 | | | | | |
| 金七六九 | 犀角图章 | 8方 | 永寿宫 | 故宫博物院 | 印文"济阳"、"终身不拟作忙人"等 | 清 | | 印钮作盘螭、狮、羊、异兽等。可能即为《活计档》乾隆十三年五月提及配做紫檀木罩盖匣的"犀角图章大小八方"。 |

| 编号 | 名称 | 数量 | 原藏地 | 现藏地 | 著录 | 年代 | 图版 | 备注 |
|---|---|---|---|---|---|---|---|---|
| 金一八一六 −29 $\frac{2}{2}$ | 木碗（犀角雕光素碗） | 2个 | 永寿宫银库 | 故宫博物院 | | 清 | | 点查时记录粗略，当为二碗之一。 |
| 号四六 −35 | 犀角碗 | 1个 | 宁寿宫 | 故宫博物院 | | 清 | | |
| 巨一七八 −16 | 犀角四足鼎 | 1件 | 养性殿 | 故宫博物院 | | 清中期 | 见本书图版 | |
| 夜一五五 −16 | 破木制水盂（犀角雕螭耳葡萄纹杯） | 1个 | 颐和轩 | 故宫博物院 | | 明晚期至清早期 | 见本书图版 | 可能为点查人员先察误记。 |
| 夜二〇一 −7 | 雕犀角杯（图20） | 1件 | 颐和轩 | 台北故宫博物院 | "子京秘玩"及御制诗 | 明末清初 | 《匠心与仙工：明清雕刻展·象牙犀角篇》图二八 | 出版定名为"瀛洲图杯"，乾隆御制诗集中则名为"明制百花洲图犀角杯"。又，《活计档》乾隆四十一年十一月提及，原贮宁寿宫，命匠刻诗，并将"子京秘玩（误作'字京秋玩'）"填黑。 |
| 出七一 −9 | 犀牛角 | 2个 | 寿康宫 | | | | | |
| 阙九〇五 −4 | 犀角杯 | 1个 | 寿安宫 | 故宫博物院 | | 清 | | 可能为牛角制。 |
| 阙九七八 | 犀牛角碗 | 1个 | 寿安宫 | 故宫博物院 | | 清 | | |
| 芥二三 −7 | 大小犀角 | 2块 | 造办处 | | | | | |
| 芥二二六 −4 | 犀角 | 2块 | 造办处 | | | | | |
| 芥二二八 −21 | 犀角 | 1块 | 造办处 | | | | | |

图 20－1. 犀角瀛洲图杯　台北故宫博物院藏

### （三）犀角制品的主要类型

犀角制品的形式是与其材质的独特性紧密联系在一起的。早期实物太少，我们只能更多依赖文献，而传世作品集中于明清，相关资料又不足以相互发明。这里仅将史籍中出现较多的类型，如簪导、带銙，与实物中常见的器形，如杯、槎形器等，作为典型的代表撮述如下。

#### 1. 簪导

旧说有将簪、导合而为一者，也有分成二种的，综合各种说法，大体上簪较短，约四五寸左右，用来固定发髻，男女均可佩戴；导则较长，可能不下尺余，服用乃为贯穿冠冕[102]。在隋唐时期官书中，服制记载详备，我们可以看到犀角制成之簪、导是与特定服用者的特殊要求相配合的（见表三），如《隋书·舆服志》里就称"天子独得用玉，降此通用玳瑁及犀"，说明了其服用带有鲜明的礼制等级意义。而作为女性装饰或一般上层生活日用的犀角制簪钗，则应用的范围可能更广泛、延续时间更长、形式也更为丰富。唐人段公路在《北户录》中载，西晋惠帝元康（291～299 年）末，"妇人以犀角、玳瑁为斧钺戈戟，

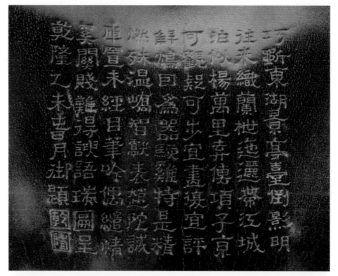

图 20－2. 犀角瀛洲图杯（局部）

戴用之也"[103]。可惜传世实物十分罕见，上海博物馆所藏犀角雕梅花簪是一个时代相对较晚的例子[104]。

#### 2. 带銙

是装于革带带鞓上的一种装饰品。汉代以前，服制中束腰的革带用带钩来扣结，上面并不装銙，南北朝以降逐渐过渡到用带扣的鞢䩞带，为了杂配诸物，带鞓上就要垂下系物之细带 —— 鞢䩞。随着实用意义的减弱和装饰性的增强，附环以连接二者的基部垫片便转化为带銙。由唐

**表三**：正史所载犀簪、导服用制度表

| 时代 | 服制类别 | 服用者 | 资料来源 | 备注 | |
|---|---|---|---|---|---|
| 隋 | 远游冠 | 天子 | 《隋书·舆服志》 | | |
| | 衮冕 | 皇太子 | | 又作"犀笄"。 | |
| | 远游三梁冠 | | | | |
| | 平巾黑帻 | | | | |
| | 远游三梁冠 | 亲王 | 《旧唐书·舆服志》 | | |
| | 进贤冠 | 三师三公、太子三师三少、尚书秘书二省、九寺四监、太子三寺、诸郡县关市、亲王文学、藩王嗣王、公侯（五品以上官员） | | 三品以上三梁，五品以上两梁，犀簪、导。 | |
| | 平巾帻 | 五品以上武官 | | 常服[105]。 | |
| | 弁服 | 五品以上官员 | | 公服。通用"象牙簪、导"，五品以上，亦以"犀为簪、导"。 | |
| 唐 | 通天冠 | 天子 | | 《新唐书·车服志》作"玉、犀簪导"。 | |
| | 衮冕 | 皇太子 | | | 《新唐书·车服志》同。 |
| | 具服远游三梁冠 | | | | |
| | 公服远游冠 | | | 簪导以上并同前。 | |

| | | | | |
|---|---|---|---|---|
| | 弁服 | 皇太子 | | |
| | 平巾帻 | | 《新唐书·车服志》 | |
| | 衮冕 | 一品官员 | | 未言明质地，《新唐书》作"角簪、导"，《通典》卷一〇八："五品以上乃通用犀（簪导）"，可知亦为犀角。 |
| | 鷩冕 | 二品官员 | | （簪、导）同衮冕。 |
| | 毳冕 | 三品官员 | 《旧唐书·舆服志》 | （簪、导）同鷩冕。《新唐书》亦作"角簪、导"，依前例可知为犀角。 |
| | 绣冕（絺冕） | 四品官员 | | （簪、导）同毳冕。 |
| | 玄冕 | 五品官员 | | （簪、导）同绣冕。《新唐书》亦作"角簪、导"，依前例可知为犀角。 |
| 宋 | 通天冠 | 天子 | | 本作"玉、犀簪导"。 |
| | 衮冕 | 皇太子 | | |
| | 远游冠 | | | |
| 祭服 | 九旒冕 | 亲王、中书门下 | 《宋史·舆服志》 | 本作"犀、玳瑁簪导"。 |
| | 七旒冕 | 九卿 | | |
| | 进贤五梁冠 | 一品、二品官员 | | 本作"犀、玳瑁簪导"。 |
| 朝服 | 进贤三梁冠 | 诸司三品、御史台四品、两省五品官员 | | |
| | 进贤两梁冠 | 四品、五品官员 | | |

**表四**：正史所载犀带服用制度表

| 时代 | | 带制 | 服制 | 服用者 | | 资料来源 | 备注 |
|---|---|---|---|---|---|---|---|
| 唐 | 高祖 | 犀带 | 常服 | 六品以上 | | 《新唐书·车服志》 | 因服制僭越，故颁诏令。 |
| | 文宗初 | 通犀带 | 朝贺宴会之服 | 一品、二品 | | | |
| | | 花犀、班犀带 | | 三品 | | | |
| 宋 | 乾道九年 | 通犀带 | 履袍 | 天子 | | 《宋史·舆服志》 | 与金、玉带并用。 |
| | | | 衫袍 | | | | |
| | | | 窄袍 | | | | |
| | | | 常服 | 皇太子 | | | |
| | 太平兴国七年 | 犀角带 | | 四品以下许服 | | | 犀非品官，通犀非特旨、恩赐皆禁用。 |
| | 大观二年 | 红鞓犀带 | | 中书舍人、谏议大夫、待制、殿中少监 | | | |
| | 中兴后 | 红鞓排方黑犀带 | | 中书舍人、谏议大夫、龙图阁待制、侍郎 | | | 据《玉海》卷八十六时为乾道九年。 |
| | 雍熙元年 | 犀带 | | 两省五品以上，御史台、尚书省四品以上 | | | 赐诸臣时服。 |
| 金 | | 红鞓乌犀带 | | 文五品 | 服紫者 | 《金史·舆服志》 | |
| | | | | | 服绯者 | | |
| | | | | 武五、六、七品 | | | |
| | | 皂鞓乌犀带 | | 文五品服绿者 | | | |
| | | | | 武八品以下 | | | |

| | | | | | | |
|---|---|---|---|---|---|---|
| 金 | | 通犀带 | | 二品以上许兼服 | 《金史·舆服志》 | |
| | | 花犀带 | | 三品许兼服 | | 服用场合为治事<br>或会见宾客。 |
| 明 | 洪武<br>三年 | 犀带 | 常服 | 天子 | 《明会典》<br>卷六〇<br>至<br>六一 | 间用金、玉、<br>琥珀、透犀。 |
| | | | | 皇妃 | | 用金、玉、犀。 |
| | | | | 皇太子妃 | | 用金、玉、犀。 |
| | | | | 亲王妃 | | 用金、玉、犀。 |
| | | | | 公主 | | 与亲王妃同。 |
| | 永乐<br>三年 | | | 辅国将军 | | |
| | 嘉靖<br>八年 | | | 二品文武官员 | | |
| | 洪武<br>廿六年 | | 公服 | 二品文武官员 | 《明史·舆服志》 | |
| | 洪武<br>三年 | | 常服 | 二品文武官员 | | 花犀。 |
| | 洪武<br>元年 | | | 二品命妇 | | |
| | | | 常服 | 内使监 | | 凡遇朝会，<br>依品级具服行礼。 |

至明，装銙带具始终是士大夫阶层服饰礼制中不可或缺的组成部分，并被赋予了一定的等级含义。其区分的关键在于形制与制作材料，特别是后者，历代均有较为详细的官方规定。概而言之，唐重玉带，宋重金带，明亦重用玉，犀角则是制作带銙的重要原料之一[106]（见表四）。不过，其等级低于金、玉銙带。如此则不难明白《明史》卷二一三所载湖广巡抚顾璘在解赠犀带时对少年张居正说“君异日当腰玉，犀不足溷子”的含义了。一般说来，制

作带銙的犀角要用"色深者","斑散而浅者，即治为盘碟器皿之类"[107]。而所谓通犀或有特殊花纹的犀角，则是刻意搜求的高档材料，制成带銙后堪与金玉相比，甚至犹有过之。此类可称珍宝的犀带中颇有被载诸史籍者，如唐相李德裕所称赏之通犀带[108]、以建隆元年（960年）三佛齐进献龙纹如"宋"字的通天犀所造之犀带[109]、宋孝宗献与高宗带有寿星扶杖纹的通犀带[110]等，都名闻一时。收集珍异犀带之风还波及少数民族地区，绍兴三年（1133年）韩肖胄出使金国，见金太宗所系犀带为"唐世所宝日月带"，"诚绝代之珍"[111]。

由于犀带在士大夫服饰中的特殊地位，故帝王也常以之赏赐臣子旌表嘉奖，此类记载尤以宋代为多。为了满足这一需求，则不得不保证原材来源的稳定，办法是责成市舶司尽量博买番货。像宋绍兴元年（1131年）大食商人蒲亚里运来大象牙209株、大犀角35株，价值5万余贯，市舶司无力承担，高宗特诏令拣选象牙100株、犀角25株，"准备解笏、造带，宣赐臣僚使用"，其他的就地拍卖，偿还蒲亚里[112]。又据《宋史》卷一八六载，建炎元年（1127年）高宗下诏责备市舶司"多以无用之物费国用"，但又嘱咐"惟宣赐臣僚象笏、犀带，选可者输送"。看来，在当时统治者眼里唯这一用途才是正当。

犀带本身价值不菲，又可随身服用标示等级，遂成为士大夫身份与财富的象征。岳飞被杀后，检视其家中遗产，不过"金、玉、犀带数条"等物，可见其"俭朴律己"[113]。而前引《天水冰山录》中所载抄没严嵩家产，各项物品之多，令人目不暇给，仅犀带一种即踵事增华，足见奢靡。犀带既有财货之属性，就出现以之抵金益物之举。如苏轼尝自称以犀带助施造桥，又用犀带易古舍利，捐与东莞资福长老祖堂[114]。

犀带既代表了身份与财富，民间逾制服用的情况就难免发生。《宋史·舆服志》载有明文："带……犀非品官、通犀非特旨皆禁。"但大观四年（1110年）的臣僚上言还是称："今闾阎之卑，倡优之贱，男子服带犀玉"云云。在《金瓶梅》第三十一回里写到西门庆巴结蔡京，得了两个虚职，于是大张旗鼓地在家攒造衣服，钉了七八条各式銙带，又有一条通天犀带，是从王招宣府（宋明两代无此官职，其祖上王景崇是所谓太原节度邠阳郡王）用了70两银子买来的[115]，显然也属僭越，但从中亦可见犀带在这一历史阶段上层男性服饰中的重要意义。

中国人对犀带的重视还影响了一些其他国家和地区，据说伊斯兰教徒也有类似的腰带装饰[116]。

至于传世实物，目前仅知正仓院一例，编号北仓4，名为"斑犀偃鼠皮御带"（见图11），现存方銙4枚、半圆銙6枚，贮于赤漆榉木橱内，著录在756年之《国家珍宝帐》中。经与何家村出土玉带比对，应有3枚半圆銙遗失。这种不系�鞢的装饰性带銙的较早实例为贞观元年（627年）窦皦墓所出，何家村发现此型最多，可能是8世纪中叶流行的款式。

### 3. 杯

传世犀雕以杯为最多见，基本形制大抵不脱广口小底之样貌。这是由犀角的自然形状决定的：截去角的尖端，倒转过来，粗大的根部即转化为杯口，而不论是流还是耳，也都能在其轮廓内剪裁而成。作为一种珍罕的材质，这样的设计最大限度地减少了浪费，也更好地突显出犀角本身的独特性。其装饰内容包括花果植物、山水人物、龙凤动物等题材领域，还有一些作品略作处理，形成抽象的凸凹岩石状或树瘿纹，甚至干脆光素而着力于磨工，也是突显材质独特美感的典型手法。

需要特别提到的是螭纹，它的出现频率最高，而且有时并不受限于主题。常见的情况是以螭纹为杯耳：一大螭衔杯口，二三小螭扭结穿插，形成复杂的镂空结构。看起来螭耳并没有多少实用意义，与主题也太半缺乏有机的联系，似乎只是为了顾及材料原型而作的纯粹装饰以及对"教子升天"[117]之类吉祥寓意的强调，但当其固定为一种模式以后，就反过来成为犀雕区别于其他工艺的特殊处理方式了。

况且，螭纹还反映了明清工艺中普遍的仿古风格。不过这种仿古不是狭义地仿照商周青铜器造型和纹饰，而是杂糅历代元素，除近似战国秦汉时流行的螭纹外，往往还能在同一器物上看到简化的兽面纹、不拘一格的夔纹、图案化的扉棱，甚至写实的折枝花卉等，连整个外形都似是而非，在仿古的同时体现强烈的时代风格。

这一时期文献中言及犀杯的并不多，形制更多一笔略过，目前所知稍微具体的如荷叶杯、葵杯[118]、规矩杯、乳杯[119]、天鹿杯、芙蓉杯[120]等。前二者尤其值得我们注意，因其可以取以与实物相印证，为犀杯的断代提供一个标尺。在牛津大学阿胥摩尼亚博物馆（Ashmolean Museum）特拉德斯坎特陈列室（Tradescant Collection）中陈有一件犀角葵花纹杯，杯形如一朵大花，外壁枝蔓相连，在杯底成镂空环式座（图21）。此杯是英国皇室园艺家老特拉德斯坎特（John Tradescant，1570～1638年）旧藏，其卒年为1638年，故其时代下限至少在17世纪40年代以前。学者德瑞克·吉尔曼（Derek Gillman）更认为它可能正是晚明福建漳州地区的产品[121]。这样的例子尚不止一个。当中国文化在欧洲皇室风行的年代，中国犀角雕刻也得到青睐，曾是哈布斯堡家族最重要艺术赞助人之一的奥地利大公斐迪南二世（Ferdinand II Archduke of Austria，1529～1595年）、神圣罗马帝国皇帝鲁道夫二世（Rudolf II，1552～1612年）等都有不少犀角收藏。犀角玉兰杯（图22）则被改装为银质高足杯，可能为鲁道夫二世在

1607～1611年间购藏。犀角葵花螭纹杯（图23），则可能为斐迪南大公二世的藏品。查普曼（J.Chapman）曾在自己的书中举出不少类似有明确收藏记录的实例[122]。而当时还流行对中国犀杯进行改作的情况，最常见的是按照喜好加装金银口、足包镶，多为16世纪以前的工艺，无意中为判断该器物年代留下了佐证。如纽约大都会博物馆藏一件犀角花鸟纹杯，不仅镶有16世纪英国制银口、足，且刻有铭文"Ellane Butler Countess of Ormond end Ossorie 1628"，证明此器最晚的年代也在1628年（明崇祯元年）之前[123]（图24）。排比这些作品，可以找到有相当部分是与特拉德斯坎特犀杯相似的连座镂空花叶造型，它们很可能代表了晚明漳州犀角杯的一些典型特征。本书图版4～8亦表现出接近于此一类型的面貌。

还有的犀杯虽形制不明，却有特殊意义，不能不提。如万历五年（1577年）翰林院编修吴中行、检讨赵用贤等人上书弹劾张居正"夺情"，结果遭廷杖、贬谪，引来朝野一片同情，时任经筵日讲官的许国制作玉杯和犀杯各一分赠吴、赵，犀杯有铭曰："文羊一角，其理沉黝。不惜剖心，宁辞碎首？黄流在中，为君子寿。"其后200年，此杯流传有绪，乾隆晚期尚存[124]。它可能是历史上最著名的一件犀杯了。

### 4. 槎形器

这种器形比较特殊，一般而言多有中空的储酒空间，所以往往被定名为槎杯（本书图版135～137），不过，其横置的方式显然与杯竖向利用材料的方式不同，两相比较，槎形器更能发挥犀角天然形态的优势，故而得到了一些著名工匠的青睐（见表五），成为一种有代表性且具备一定传世实物规模的品类。我们认为，槎形器很可能直接取自元代工匠朱碧山所创制的银槎形制，而有的学者甚至追溯其源至战国时的羽觞、唐代的多曲长杯等古代

图21. 犀角葵花纹杯
牛津大学阿胥摩尼亚博物馆藏

图22. 犀角玉兰杯
奥地利维也纳历史博物馆藏

图23. 犀角葵花螭纹杯
原存奥地利安布哈斯宫

| 收藏机构或收藏者 | 款印 | 其它题识 | 备注 |
|---|---|---|---|
| 上海博物馆 | 天成 | | 应即鲍天成。 |
| 故宫博物院 | 再来花甲子。尤通、雨源。 | 绝句一首及"乾隆御题"款；"比德"、"朗润"印。 | 点查清宫文物时存斋宫诚肃殿。 |
| 台北故宫博物院 | 再来花甲子。尤通。 | 诗同上。款"乾隆壬寅御题"；"乾"、"隆"印。 | 原古物陈列所藏品，或来自热河行宫（图25）。 |
| | 直生、尤氏。 | | 应即尤侃。 |
| 巴黎装饰艺术博物馆 | 甲子。雨源。 | | 应即尤通。 |
| 私人收藏 | 甲子。雨源。 | | |
| 私人收藏 | 鲍天成 | | |

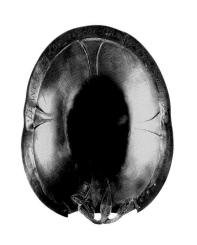

图 24. 犀角花鸟纹杯
纽约大都会博物馆藏

"酒船"类器物[125]。它似乎符合广义的仿古概念，而在演化过程中又被注入了祝寿等吉祥寓意，内涵越益丰厚[126]，值得我们给以特别地重视。

## （四） 犀角雕刻著名工匠例举

古代手工业者社会地位不高，能够留名史籍者甚少，而犀雕材料难得，生产规模有限，行业专门性较弱，因此相关记载更是少之又少。即使偶或见诸笔记杂著，其生平事迹也多语焉不详。明清时期，工匠地位在某种程度上有所提高，情况略有改善，但终究不能与其他大多数工艺类别相提并论。检点各种材料，已知犀雕工匠的情况约略有三种：一是只见记录者，一是文献与实物可以对应者，一是仅在实物上出现者，以下分述之。唯此处不为求全，如第三种情况颇难把握，孤例或发表状况不完整者暂且割爱。

### 1. 只见记录者

载名史籍的犀雕工匠必是当时有一定影响力的人物，其作品或许已经失传或难以鉴别，却依然是犀雕史应予重视的材料。

### 董进

约活动于北宋哲宗、徽宗时的汴梁工匠董进，是第一位史有明文的犀雕家，他以犀、玉雕刻并称，很可能供役于皇家，曾慧眼鉴别前代遗留的犀角材料[127]。

### 贺四、陆恩

约生活在明中晚期。贺本北京人，时称良工。寓居乌镇（今属浙江），为王姓者制檀、梨、乌木、象齿、犀角诸材卮、盂、罍等。陆常往观摩，遂拜贺为师，人称小贺，后同至崇德，受雇于叶氏，终有出蓝之誉[128]。

### 濮仲谦

生于万历十年(1582年)，卒年当已在清初。精通刻竹，

《竹人录》将其列为与"嘉定派"相颉颃的"金陵派"创始人 [129]。同时兼擅其他工艺，"一切犀、玉、鬃、竹皿器，经其手即古雅可爱，一簪一盂，视为至宝" [130]。

### 蒋烈卿

约明晚期时江苏武进（今常州）人，多作仿古器物，善刻犀角、象牙印章 [131]。

### 朱小松、王百户、朱浒崖、袁友竹、朱龙川、方古林

明人高濂在《遵生八笺》中称这几人："皆能雕琢犀、象、香料、紫檀、图匣、香盒、扇坠、簪钮之类，种种奇巧，迥迈前人。" [132] 所叙虽较笼统，但也提示我们当时江南地区工匠大抵一专多能。其中朱小松为嘉定竹刻一代宗匠，《竹人录》有传，余人当亦为一时名手，可惜其犀雕作品今均已不传。

### 2. 文献与实物可以对应者

文献记载与实物署款可以相互印证的例子虽然不多，却是犀雕史的珍贵见证，值得我们深入分析与研究。

### 鲍天成

明晚期时吴县（今苏州）人，时人高濂将其与朱小松等并列为一时高手，王世贞载"鲍天成之治犀"等"吴中"地区制品，"皆比常价再倍" [133]，张岱更称赏为"吴中绝技"之一，"上下百年，保无敌手"，是"技也而能近乎道" [134] 的典型，评价不可谓不高。从传世作品来看，近人叶恭绰曾著录二件 [135]，其一现存上海博物馆，又上博还藏有一件刻篆书"天成"印章款的槎形杯 [136]。本书图版 139 也是一个可供参考的实例。

### 尤某

明末清初时无锡人，擅刻犀角、象牙、玉石文玩，精巧为"三吴冠"。少年时曾仿制犀角杯，并以凤仙花汁如染甲法染之，与原作无差，即原藏者不能识，遂有"尤犀杯"之称。康熙时被征入内苑，晚年自述于宫中曾佩眼镜

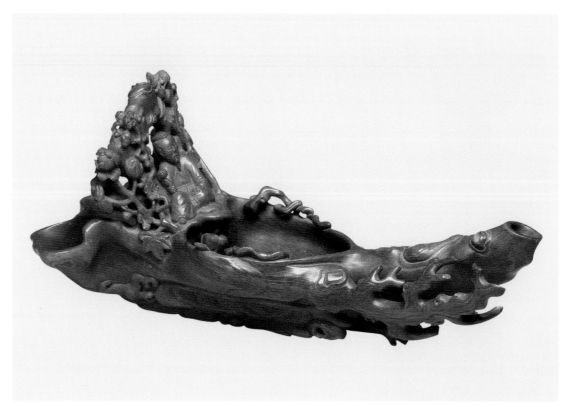

图 25 − 1. 犀角仙人乘槎杯 "尤通"款 台北故宫博物院藏

图 25 − 2. 犀角仙人乘槎杯（局部）

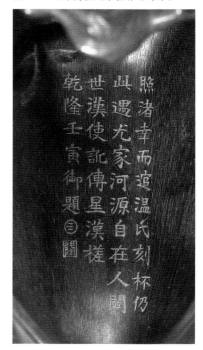

微刻《赤壁赋》于小珠玉上 [137]。从传世署款实物的质量和数量来看，最堪重视的尤姓匠人有二位，一名尤通，一名尤侃，前者时刻"雨源"印，后者则常与"直生"印同见，当是二人字号。两名与字号分别配套出现，未见有交叉现象，故以往认为二名一人之说恐难成立 [138]。至于二尤谁为"尤犀杯"，则莫衷一是，乾隆帝以为前者 [139]，从之者不乏人 [140]，又有学者坐实为后者 [141]，但似乎都嫌证据不足。或许二尤都非史传所载，亦未可知。而目前已知的尤姓款识还不止这两个，我们推测他们出自一个犀雕世家，如果未来发现了二尤之间的某种联系，当无需意外。

### 3. 仅在实物上出现者

相比较而言，文献失载而仅见于实物的款识数量更多，情况也更为复杂，绝大部分因资料缺乏，只能存而不

论，现列举一二存世作品丰富者，以概其余。

### 周文枢

前述台北故宫博物院藏饮中八仙图觥，有"文枢"款，原贮乾清宫西暖阁；上海博物馆藏有一件六螭纹杯；爱尔兰切斯特·比蒂图书馆（Chester Beatty Library）藏署其款识作品在三件以上[142]。所作犀杯多山水人物纹，依风格分析当在明晚期至清早期。一说为江苏南京人。

### 胡星岳

本书图版98犀杯的"胡星岳作"印章款，在海外公私收藏中也有发现。而另外一件署名"胡允中"的觚式杯（即本书图版122）与图版116、图版142则都刻有一个相近的篆书小印，经比对均可释读为"星岳"。同样的情况还出现在上海博物馆所藏螭柄杯上：既有"允中"款，亦有"星岳"印章[143]。这似乎表明，"星岳"与"允中"应为一人。而瑞典斯德哥尔摩东方博物馆（Östasiatiska Museet）藏署名"胡见中"的作品上[144]，也出现了相类的印章，那么"胡见中"是否与"胡允中"为同一人？他们与"胡星岳"之间又有着怎样的关系？这几件器物是否皆出自"胡星岳"之手？恐怕这还有待更多材料的发现[145]。

### 注释

1. 以下犀的特征、习性等参考《大百科全书·生物学·Ⅲ》"犀科"条，第1786页，大百科全书出版社，1992年；《辞海》第三册，"犀"条，第2900页，上海辞书出版社，1999年；文焕然、何业恒、高耀亭：《中国野生犀牛的灭绝》，载《中国历史时期植物与动物变迁研究》，重庆出版社，2006年；J.Chapman,The Art Rhinoceros Horn Carving in China. London:Christie's,1999，p.40-48.

2. 犀角之成分参见《辞海》第三册"犀角"条，第2900页，上海辞书出版社，1999年。

3. 如《格古要论》中就有"其纹如鱼子相似，谓之'粟纹'"等语，见（明）曹昭撰，王佐增补：《新增格古要论》卷六"犀角"条，中国书店影印本，1987年。

4. （宋）赵汝适撰，杨博文校释：《诸蕃志》："角之纹如泡。"第208页，中华书局，1996年。

5. 孙机：《中国古文物中所见之犀牛》，载《文物丛谈》第286页，文物出版社，1991年。

6. （宋）李焘编，上海师范学院古籍整理研究室等点校：《续资治通鉴长编》卷一八七，第4515页，中华书局，1980年。

7. （宋）沈括撰，胡道静校注：《新校正梦溪笔谈》卷二一，时间记作"至和（1054～1056年）中"，第217～218页，中华书局香港分局，1975年。

8. 据［日］森立之撰，吉文辉等点校：《本草经考注》"犀"条转引，第466页，上海科技出版社，2005年。

9. 这二词之间的关系、"通犀"与"透犀"之间的关系、"通犀"与外来语之间的关系等问题还需进一步考索。

10. （东晋）葛洪撰，王明校释：《抱朴子内篇校释》第312页，中华书局，1985年。

11. （唐）段成式：《酉阳杂俎·前集》卷一六，第160页，中华书局，1981年。

12. （宋）王辟之撰，吕友仁点校：《渑水燕谈录》卷八，第105页，中华书局，1997年。

13.（宋）张世南撰，张茂鹏点校：《游宦纪闻》卷一，第 13 页，中华书局，1997 年。这绝非作者一家之言，时人确认同此说。

14. 却尘、辟水等名见（唐）刘恂撰，鲁迅校勘：《岭表录异》卷中，第 23 ~ 24 页，广东人民出版社，1983 年；夜明、辟暑、蠲忿等名见（唐）苏鹗：《杜阳杂编》卷中及卷下，《丛书集成新编》第 86 册，第 154、157 页，台北新文丰出版公司，1986 年。

15.（元）汪大渊著，苏继庼校释：《岛夷志略校释》第 77 页，注⑥，中华书局，1981 年。

16. 千字文号为清室善后委员会接收清宫文物时为点查方便而编制的代号，以区分建筑或建筑群之间的陈列与贮藏，参嵇若昕：《故宫文物的 ID》，《故宫文物月刊》23 卷 8 期（2005 年 11 月）。千字文号可以通过查对《故宫物品点查报告》复原到原藏位置，如"阙"字为寿安宫编号，九〇五号为"漆套扆桌"，此杯为其内点查排序之第 4 号文物。"吕"字为养心殿编号，八三四号只记为"木匣一个（内盛象牙大小十二段）"，已不清楚具体情况。

17. 详见（南朝宋）刘敬叔撰：《异苑》卷七，《丛书集成新编》第 82 册，第 535 页。

18. 详见（南朝梁）吴均撰：《续齐谐记》，《丛书集成新编》第 82 册，第 43 页。

19.（明）张岱撰，马兴荣点校：《陶庵梦忆》卷一"濮仲谦雕刻"条谓仲谦"于友人座间见有佳竹、佳犀，辄自为之"。第 21 页，中华书局，2007 年。

20. 详前揭《新增格古要论》，该条为明初曹氏原书所有。在元代民间日用手册式类书《居家必用事类全集》戊集"宝货辨疑"部分亦有几乎相同的文字，其间或有蹈袭可能，这类认识当时必有一定影响。《北京图书馆古籍珍本丛刊》（61）缩印明刻本，第 215 页，书目文献出版社，1988 年。

21.（宋）王辟之撰，吕友仁点校：《渑水燕谈录》有"文如茱萸，理润而绽，光采彻莹，甚类犬鼻"等语，第 105 页，中华书局，1981 年。又（宋）陆佃：《埤雅》："犀有四辈，其纹……或如狗鼻者上"，说得更为明确，《丛书集成新编》第 38 册，第 279 ~ 280 页。

22. 从前揭《渑水燕谈录》、《游宦纪闻》至明初曹昭《格古要论》等宋明人著作，在这一点上都是统一的。

23.（宋）姚宽撰，孔凡礼点校：《西溪丛语》卷下"辨犀"条，第 123 页，中华书局，1993 年。《格古要论》也说"有正透纹者……古云通犀"，可见元明时其说依然流行。显然，这种说法更可能与实物对应。

24.（宋）程大昌：《演繁露》卷一《花犀带》，《丛书集成新编》第 11 册，第 566 ~ 567 页。

25. 同前揭《格古要论》。但《游宦纪闻》引大中祥符年间（1008 ~ 1016 年）太监李德永所撰《点头文》，称制作腰带的装饰"至贵者，无出于黑犀"，《金史·舆服志》中也有品官服用"乌犀带"的规定，元末明初朝鲜汉语课本《老乞大》（奎章阁丛书本，1944 年）中谓富家子弟服饰"系腰也按四季……冬里……又系有综眼（按：当即指粟纹）的乌犀系腰"，或许与一般制器要求有所不同。

26.（明）张燮撰，谢方点校：《东西洋考》卷七"陆饷"，第 141 ~ 146 页，中华书局，2000 年。

27.（元）周达观撰，夏鼐校注：《真腊风土记校注》第 141 页，中华书局，1981 年。又前揭《诸蕃志》中已经说："以白多黑少为上。"

28.（宋）苏颂：《图经本草》中语，转引自（明）李时珍：《本草纲目》卷五一"犀"条，明万历三十年（1602 年）夏良心等重刻本。

29. 前揭《游宦纪闻》："俱有粟纹，以粗细为贵贱……更有一眼者，佳也。"按，此处所谓"眼"，就是《格古要论》所称"粟眼"。

30.《格古要论》："凡器皿要滋润、粟纹锭花儿者好，其色黑如漆，黄如粟，上下相透，云头雨脚分明者为佳。"

31. 语出前揭《居家必用事类全集》，其下注明出自"故宋掌公者所著"。

32.（清）屈大均：《广东新语》卷二一，第 532 页，中华书局，1985 年。

33. 前揭《诸蕃志》。

34. 前揭《游宦纪闻》。

35. 前揭《居家必用事类全集》。

36.《图经本草》语，同注 28。

37.《宋史》卷一百五十三，中华书局点校本，第 11 册，第 3565 页。

38. 如前揭《渑水燕谈录》即认为"生邕管之内及交趾者"不及"生大食者"。

39. 徐中舒：《殷人服象及象之南迁》，《国立中央研究院历史语言研究所集刊》第二本第一分，中华民国十九年（1930 年）五月刊印，第 67 ~ 68 页，中华书局，1987 年。

40. 转引自注 1《中国野生犀牛的灭绝》。

41. 杨钟健、刘东生：《安阳殷墟之哺乳动物群补遗》，载《中国考古学报》第 4 册，第 145 ~ 153 页，1949 年。该文推测殷墟哺乳动物遗存中的犀牛总数在 10 只以下。

42. 事见《汉书·平帝纪》。黄支地望众说不一，一般认为即印度东南岸的占城 Kanchi，玄奘《大唐西域记》中的建志补罗（Kanchipura），今之康契普拉姆（Conjevaram）。详陈佳荣、谢方、陆峻岭编著：《古代南海地名汇释》第 694 页，中华书局，1986 年。

43. 拙编《故宫经典·故宫竹木牙角图典》中"犀角"篇前言曾详列唐以后历代土贡犀角之地区，可参看，第 276 ~ 277 页，紫禁城出版社，2010 年。

44. 关于犀牛在历史时期的分布变迁可参看注 1《中国野生犀牛的灭绝》；王守春：《历史时期野生亚洲象与犀牛地理分布与气候环境变迁若干新认识》，《历史地理》第十八辑，上海人民出版社，2002 年；蓝勇：《历史时期西南野生印度犀分布变迁研究》，《古代交通生态研究与实地考察》，四川人民出版社，1999 年。

45. 许再富《历史上向"天朝"上贡对滇南犀牛灭绝和亚洲象濒危过程的影响》，《生物多样性》2000 年 1 期。

46.（唐）李翱《岭南节度使徐公形状》，转引自白寿彝《宋时伊斯兰教徒底香料贸易》，《禹贡》第 7 卷第 4 期（1937 年 4 月），第 47 页。

47. 详见沈福伟：《中国与非洲——中非关系二千年》相关章节，中华书局，1990 年。

48.（清）徐松辑：《宋会要辑稿》第六册第 5432 页，中华书局，1957 年。

49. 前揭《游宦纪闻》第 12 页。

50. 同上注。

51.《羊城古钞》中语，转引自陈诗启：《明代货币关系的发展和官手工业的演变》，《明代官手工业的研究》第 29 页，湖北人民出版社，1958 年。

52. 参蔡玫芬：《犀花解作杯——几件十七世纪的连座花杯》，《故宫文物月刊》第 23 卷 6 期（2005 年 9 月）。

53. 韩琦、吴旻编译：《熙朝崇正集》卷二《贡献方物疏》，第 20 页，中华书局，2006 年。

54. 见中国第一历史档案馆、香港中文大学文物馆合编：《清宫内务府造办处档案总汇》第 17 册，第 289 页，乾隆十五年五月二十四日"记事录"，人民出版社，2005 年。

55. 同注 54，第 17 册第 431 ~ 432 页，乾隆十五年三月十一日"鏨花作"。

56. 同注 54，第 37 册第 646 页，乾隆三十九年十二月初四日"金玉作"。

57. 同注 54，第 44 册第 613 页，乾隆四十六年十月二十五日"记事录"。

58. 罗振玉撰述、萧文立编校：《雪堂类稿·殷虚古器物图录附说》第二图"犀角筒形残器"，第 438 页，辽宁教育出版社，2003 年。

59. 详（清）阮元校刻：《十三经注疏》上册第 739 页，中华书局，1983 年；（清）孙诒让撰，王文锦、陈玉霞点校：《周礼正义》卷二八，第四册 1113 页，中华书局，1980 年。

60. 前揭《中国古文物中所见之犀牛》第 283 页。

61. 如旧题（汉）伶玄：《赵飞燕外传》中有"文犀辟毒箸"之名，《丛书集成新编》第 83 册，第 148 页。

62.《后汉书》卷三三载汉安帝宠幸冯石，赐"駮犀具剑"等物，其形制当与同时期流行之玉具剑相近。参看孙机：《玉具剑与璏式佩剑法》，《中国圣火》第 15 ~ 43 页，辽宁教育出版社，1996 年。

63. 见余嘉锡撰，周祖谟、余淑宜整理：《世说新语笺疏·伤逝》第 642 页，中华书局，1983 年。

64. 梁昭明太子萧统撰有《谢敕赉水犀如意启》，见（清）严可均辑，冯瑞生审订：《全梁文》卷一九，第 209 页，商务印书馆，1999 年。

65. 以上正仓院藏品主要根据正仓院事务所编：《正仓院宝物》，宫内厅藏版，朝日新闻社刊，昭和三十五年至昭和三十七年；藏品情况统计根据成濑正和：《正仓院宝物の素材》第 66 ~ 68 页，《日本の美术》No.439，至文堂，2002 年；献物帐情况根据北启太：《献物帐管见》，《正仓院纪要》（第 30 号），宫内厅正仓院事务所编辑兼发行，平成 20 年；正仓院历史参考了韩昇编著：《正仓院》，上海人民出版社，2007 年。

66. 据张宗祥校：《说郛》卷五六转引，涵芬楼据六种明抄本排印，商务印书馆，1927 年。

67.（宋）李心传撰：《建炎以来系年要录》卷二，中华书局据商务印书馆"国学基本丛书"本重印，第一册，第 54 页，1956 年。

68. （宋）吴自牧：《梦粱录》卷九："文思院……但金银犀玉工巧之制，彩绘装钿之饰，若舆辇法物器具等皆隶焉。"中国商业出版社《中国烹饪古籍丛刊》本，第70页，1982年。

69. （宋）孟元老撰，伊永文笺注：《东京梦华录笺注》卷二，第144页，中华书局，2007年。

70. 佚名：《百宝总珍集》卷四，《四库全书存目丛书·子部》第278册，第796页，齐鲁书社，1995年。

71. 二语分别见（元）孔克齐：《至正直记》卷四"古今无匹"及卷三"玛瑙缠丝"条，《丛书集成新编》第87册，第377、380页。

72. 乾隆四十年（乙未，1775年）作《明制百花洲图犀角杯八韵》"解鸩因为器"句下自注，《清高宗御制诗集》四集卷二七，《清高宗（乾隆）御制诗文全集》第六册，第684页，人民大学出版社，1993年。

73. 叶恭绰：《遐庵谈艺录》"明鲍天成犀角杯"条，第52页，1961年铅印本。

74. （明）于慎行撰，吕景琳点校：《穀山笔麈》卷一六，第189页，中华书局，1984年。

75. 转引自张安奇：《明稿本〈玉华堂日记〉中的经济史资料研究》，《明史研究论丛》（第五辑），1991年。

76. （明）佚名：《天水冰山录》，《丛书集成新编》第48册，第453～457页。

77. 叶恭绰语，同注73，第51页。

78. （清）周亮工：《书影》卷四，第115页，上海古籍出版社，1981年（据1958年中华书局上海编辑所排印本校订，未注明整理者）。文中"火春"当指酒精含量较高之烧酒，同书前后相邻两条亦有提及，屈大均《广东新语》中有"火酒"条，可参看。黄东崖（1596～1662年），名景昉，福建晋江人，天启五年（1625年）进士，崇祯十五年（1642年）与蒋德璟、吴甡等入阁并为辅臣，故有"相国"之称。

79. （清）李渔撰，王连起注释：《闲情偶寄图说》下册，第257页，山东画报出版社，2003年。

80. ［日］中川忠英编著，方克、孙玄龄译：《清俗纪闻》，第406页，中华书局，2006年。

81. （清）谈迁撰，汪北平点校：《北游录》之"永顺、保靖二司土风"条，第333页，中华书局，1997年。

82. 同注72。

83. （明）方以智撰：《物理小识》卷八"犀角器"条："犀杯贮茶……色易枯。"《文渊阁四库全书》第867册，第916页，台北商务印书馆，1986年。

84. 转引自［英］波西尔著，戴岳译，蔡元培校：《中国美术》（1923年商务印书馆出版），见《诸家中国美术史著选汇》第174～175页，吉林美术出版社，1992年。

85. 诗题《闻陈荆山方伯病免》，是句为尾联，其下自注："余曾寄荆山犀杯。"按诗收入（清）朱彝尊编：《明诗综》卷五七，影印《文渊阁四库全书》第1459册，第376页。

86. （明）汪道昆：《荷叶犀杯铭》，见胡益民、余国庆点校：《太函集》卷七八，第1651页，黄山书社，2004年。

87. （明）王世贞：《弇州四部稿》续稿卷一八七《张助甫》，影印《文渊阁四库全书》第1284册，第672页。

88. 沈从文：《"瓠匏斝"和"点犀盉"》，《沈从文全集》第30卷，第289页，北岳文艺出版社，2002年。

89. 据说南朝梁时陶弘景在《本草经集注》中已指出："若犀片及见成器物，皆被蒸煮不堪用。"此据前揭《本草纲目》转引。

90. 参付乐治：《犀角器皿面面观》，《故宫文物月刊》第四卷二期（1986年5月）。

91. 如（明）宋诩编：《宋氏燕闲部》卷上"甲角等器"条："犀角色不黄者，用凤仙捣糜烂同矾少许涂敷一时，温水涤去，色自明黄，久则色红，殊不妙也。"《北京图书馆古籍珍本丛刊》（61）缩印明刻本，第62页，书目文献出版社，1988年；又如前揭《物理小识》中"有以矾入凤仙根糟黄者"等语；再如《御定佩文斋广群芳谱》卷四十七中也称，取红凤仙花"捣烂，煮犀杯，色如蜡，可充旧犀。初煮出，忌见风，见风即裂"云云，影印《文渊阁四库全书》第846册，第424页。后文谈到"尤犀杯"时也将涉及此法，可参看。

92. 清人姚炳语。他是极少数涉及到这个问题者，可惜他提出的理由是古代用兕角而后代用犀角，但兕为何物，与犀之间有何关系却又纠缠不清，故其结论实有待商榷。见《诗识名解》卷四，影印《文渊阁四库全书》第 86 册，第 373 页。

93. 以上转引自杨伯达：《明清牙雕概述》，《关氏所藏牙雕》第 118 ~ 119 页，香港中文大学文物馆，1990 年。又，前揭《物理小识》："今广亦仿苏作。"

94. 以上转引自前揭蔡玫芬文。

95. 同注 54，第 37 册第 646 页，乾隆三十九年十二月初四日"金玉作"。

96. 同注 54，第 11 册第 354 页，乾隆八年二月初二日"刻字作"。

97. 同注 54，第 20 册第 96 页，乾隆十九年二月初六日"匣作"。

98. 同注 54，第 11 册第 31 页，乾隆七年四月十六日"杂活作"。

99. 同注 54，第 51 册第 8 页，乾隆五十三年四月初四日"如意馆"。

100. 同前注，第 20 ~ 21 页，乾隆五十三年四月初四日"如意馆"；又，第 22 页，同年十一月二十五日懋勤殿交"西园雅集犀角杯一件（贴本文一张），传旨交启祥宫照本文刻"，估计应为同一件。

101. 见乾隆五十三年（戊申，1788 年）作《题云龙犀角杯》，收入《清高宗御制诗集》五集卷三十九，影印《清高宗（乾隆）御制诗文全集》第八册，第 878 页。

102. 孙机：《两唐书舆（车）服志校释稿》，载《中国古舆服论丛》（增订本）第 346 页，文物出版社，2001 年。

103. （唐）段公路撰，崔龟图注：《北户录》卷一"通犀"条，《丛书集成新编》第 91 册，第 108 页。

104. 庄永贵：《上海博物馆藏犀角雕刻》图四十，时代定为清后期，《上海博物馆集刊》第六期，第 323 ~ 333 页，上海古籍出版社，1992 年。

105. 孙机先生考订应为武官朝服之误，详前揭《两唐书舆（车）服志校释稿》第 343 ~ 344 页。

106. 参孙机：《中国古代的带具》相关部分，载前揭《中国古舆服论丛》第 265 ~ 283 页。

107. 见前揭《岭表录异》。

108. （唐）李德裕：《通犀带赋》，《李卫公会昌一品集·别集》卷一，《丛书集成新编》第 60 册，第 1 页。

109. （南宋）袁褧撰，袁颐续：《枫窗小牍》卷上，《丛书集成新编》第 84 册，第 591 页。

110. （南宋）岳珂撰，吴企明点校：《桯史》卷四，第 40 页，中华书局，1981 年。

111. （宋）王明清：《挥麈录·前录》卷三"虏主犀带、磁盆"条，《丛书集成新编》第 84 册第 219 页。

112. 前揭《宋会要辑稿·蕃夷》第 3370 页。

113. 前揭《枫窗小牍》卷下，第 596 页。

114. 以上二事分别见《两桥诗（并引）·东新桥》，（清）王文诰辑注，孔凡礼点校：《苏轼诗集》卷四〇，第 2199 ~ 2200 页，中华书局，1982 年；《广州东莞县资福寺舍利塔铭（并叙）》，孔凡礼点校：《苏轼文集》卷一九，第 580 ~ 581 页，中华书局，1986 年。

115. （明）兰陵笑笑生：《金瓶梅词话》第三一回，（台）天一出版社影印明万历丁巳刻本，1975 年。

116. 见穆根来、汶江、黄倬汉译：《中国印度见闻录》卷一法国学者索瓦杰引用 A.U. 普波《波斯艺术概观》的说法，第 13 ~ 14 页，中华书局，1983 年。此说还有待更多资料充实。

117. （清）姜绍书：《韵石斋笔谈》卷上"宣和玉杯记"条谓："宋宣和御府所藏玉杯三：其一内外莹洁，绝无纤瑕，杯口耸出螭头，小螭乘云而起，夭矫如生，名教子升天，真神物也"云云，可知类似螭纹组合在时人眼中的寓意。影印《文渊阁四库全书》，第 872 册，第 97 页。

118. 见前揭汪道昆：《太函集》卷七八，有《荷叶犀杯铭》及《犀葵杯铭》。

119. 见前揭《物理小识》。方氏子中通注内有此二名目，器形俟考。

120. 此二名见近人徐珂编：《清稗类钞》第一册"钱谦益贡物"条，中华书局，1986 年。

121. 转引自前揭蔡玫芬文，又见 Chapman 书第 234 页。

122. J.Chapman,p.234−237;265−271.

123. J.Chapman,p.236.

124. 此杯因事以传，在《明史纪事本末》卷六一、孙承泽《春明梦余录》卷三二等书中均有记载，朱彝尊曾为收藏此杯的何蘧音作《觥觥歌》，江浩然注引章藻功文，认为"何、章二家觥觥各一，当必有一赝者"。见《曝书亭诗录笺注》卷六，惇裕堂藏板，乾隆二十四年（1759 年）刊本。后翁方纲曾详为考订，理出一脉络：赵用贤传门人黄端伯，黄再传门人陈潜夫，明清鼎革，黄、陈殉难，则转入娄江张氏，又归何蘧音，再复归于陈氏后人，然后才为章藻功所有，章以赠西川傅氏，到乾隆后期在曲阜颜衡斋处。翁还曾为赵的五世孙联络，欲助其换回祖上旧物。详见其《兕觥辨》及《为常熟赵氏乞曲阜颜衡斋归兕觥序》，分载《复初斋文集》卷一五及卷二，《续修四库全书》第1455册第366、493～494页。又，《书明许文穆赠赵文毅兕觥铭拓本后》亦对其流传有所涉及，载《复初斋诗集》卷一六，《续修四库全书》第1454册，第503页，上海古籍出版社，2002年。

125. 前揭《"觚匏罍"和"点犀盏"》，第288页。

126. 详陈慧霞：《明末清初雕犀角人物乘槎的时代意涵》，下表亦参考其文中附表一，《故宫学术季刊》第25卷第2期。

127. （宋）何薳撰，张明华点校：《春渚纪闻》卷二，第25～26页，中华书局，1983年。

128. 见《两浙人物志》，转引自李放编：《中国艺术家征略》卷三，1911年义州李氏铅印本。

129. （清）金元钰：《竹人录》"凡例"，收入黄宾虹、邓实编：《美术丛书》二集第五辑，江苏古籍出版社据神州国光社1947年增订第四版影印，第一册，第979页，1997年。关于濮仲谦之刻竹，拙作《竹刻艺术历史发展概述》有更为详细的论述，《中国美术分类全集·中国竹木牙角器全集·竹刻器》，文物出版社，2009年。

130. 《太平府志》中语，转引自《中国艺术家征略》卷二。

131. 见《武进县志》，转引自《中国艺术家征略》卷三。

132. （明）高濂：《遵生八笺·燕闲清赏笺》"论剔红、倭漆、雕刻、镶嵌器皿"条，《北京图书馆古籍珍本丛刊》（61）缩印万历十九年（1591年）雅尚斋刻本，第423页，书目文献出版社，1988年。

133. （明）王世贞：《觚不觚录》，《丛书集成新编》第85册，第408页。

134. 前揭《陶庵梦忆》卷一，第20页。

135. 详前揭《退庵谈艺录》第51～52页。

136. 见前揭《上海博物馆藏犀角雕刻》。又，施远：《上海博物馆藏犀角器赏析》附彩图，《文物天地》2010年7月。

137. 详《酌泉录》，转引自《中国艺术家征略》卷三。

138. 李久芳主编：《故宫博物院藏文物珍品全集·竹木牙角雕刻》图127说明中即谓"尤侃，一作尤通"，第141页，商务印书馆（香港）有限公司，2002年。

139. 见乾隆四十八年（癸卯，1783年）所作《咏尤通刻犀角乘槎杯》诗后自注："按《无锡县志》称尤氏以犀角饮器名，即尤通也。"《清高宗御制诗集》四集卷九八，见影印《清高宗（乾隆）御制诗文全集》第7册，第784页。

140. 见注135李久芳导言，第24页。

141. 如陈慧霞就持此说，见前揭文。

142. J.Chapman,p.142-144.

143. 该器饰仿古纹饰，圈足内阳文楷书款识："壬午嘉平月为仲翁先生，允中。"后剔地阳文小印"星岳"，见前揭《上海博物馆藏犀角器赏析》。

144. J.Chapman,p.129.

145. 此问题笔者曾撰专文谈及，见《对"胡星岳"款犀角杯的新认识》，《紫禁城》2012年5月。

# An introduction to rhinoceros horn carving

Liu Yue

A piece of rhinoceros horn carving, as the term indicates, is to use rhinoceros horn as the raw material to produce art pieces. Due to the unique shape, composition and texture of the horn and its rarity, the objects made of or decorated with rhinoceros horn mentioned in literary and historical records, such as belt, comb, *Ru-yi*-sceptre and cup for both everyday use or for decorative purposes had always been luxuries of the upper class, symbols of status and wealth for centuries. Rhinoceros horns have thus been treasured and have become the most precious of all horn materials. Carving in such a material developed as an independent and prosperous art form during the Ming and Qing dynasties.

## Rhinoceros horn – the material

Rhinoceroses are herbivorous mammals. Resting on the snout, the horn by nature is conical in shape with a wide and hollow base, a shape appropriate to make containers. Taking shape during the process of dermal calcification, the main components of the horn are keratin, calcium carbonate and calcium phosphate, very similar to hair in composition. Other contents include protein, cholesterol, peptide, free amino acids and Guanidine derivatives. Ranging from black brown, dark beige to light yellow in color, rhinoceros horns have a moderate hardness. A fibrous structure is found both on the surface and inside the horn, while the cross-section displays a densely dappled grain resembling "fish roes," or termed "millet

spots" in ancient days. The components of rhinoceros horn are quite different from that of buffalo and sheep horn. Rhinoceros horn plays an important role in Chinese medicine. It was believed by ancient Chinese that the horn had special effects in reducing fevers, relieving food poisoning, stopping bleed, pacifying fear and calming the mind.

## Early history of rhinoceros horn carvings

Rhinoceroses now only inhabit tropical areas like middle and southern Africa, and India, Java and Sumatra in southern Asia. In ancient times, especially in the Pre-Qin and Han periods, though, they were found roaming extensively in China and were quite familiar to ancient Chinese people. After the Han dynasty, with the extinction of rhinoceroses, the horns became not only precious exotic rarity imported to China but also one of the important commodities of international trading.

No extant pre-Tang rhinoceros horn carving has been found and textual records are equally rare. It was not until during the Tang and Song periods and thereafter that rhinoceros horn carvings came into the scene. The majority of the extant examples from the Tang and Song dynasties are ornaments and objects for everyday use. The former includes hairpins, long hairpins, plaques (for leather belts, ranked even higher than that of jade and gold), and combs while the latter category would include chopsticks, mats, *Ru-yi*-sceptres, boxes and unadorned cups. They cover almost all aspects of the use of horn carvings in later historical periods. The horn artifacts now kept in the Shoso-in Repository in Nara, Japan, allow us a glimpse of the achievement of horn carving of the Tang dynasty.

During the Tang and Song dynasties, while the image of rhinoceros and rhinoceros horn became gradually vague to our ancestors, on the contrary, the mythical property of the material tended to be magnified. A number of stories rest on the magical qualities of the horn. One of these tales tells that Wen Qiao, who was active during Jin dynasty, once heard strange sounds coming from a river nearby but could see nothing. As soon as he burned rhinoceros horn, monsters in the river all showed up in light. The story suggests that the horn possesses the supernatural property to fend off evils. Derived from the medicinal potency of rhinoceros horn, one of the more useful purpose of horn cups is to detect poison. It was believed that when poisonous wine is filled in a horn cup, it would be boiled and become foamy, thereby indicating the presence of poison. According to tales, there is another kind of rhinoceros horn named *Haiji Xi*, which literally means scare-chicken rhinoceros horn. When grain rice is put in the horn, chickens would not dare to pick up and eat. Other extraordinary properties attributed to rhinoceros horn include resisting dust, proofing against water and lighting in dark. These ancient believes related to the rhinoceros horn have a mystic and shamanic color and may sound somewhat ridiculous to modern people. They, however, greatly stimulated the development of rhinoceros horn carving as an art form.

It remains to mention that over the ages the natural texture of the material has been specially admired. The attractive veins on the surface become standards for grading rhinoceros horns. *Tongtianxi*

(literally "all-the-way-to-heaven rhinoceros") is a type of horn with a white or red streak running the whole length of the axis of the interior cavity, is the most precious of all. It was said in *Mianshui Yantan Lu (Jottings by Mian River)*, by Wang Pizhi of the Song dynasty, that "the most treasured one is called *Tongtianxi*. The markings on its surface may resemble the sun and stars, clouds and the moon, fruit and flowers, landscape scenes, birds and animals, dragon fish, immortals, and palaces. Some even show distinctly clothes, hat, eyebrows, stick and shoes (of a figure), hair, feather, scale and horn (of an animal), just as a detailed painting." From these rather exaggerated descriptions, the ancient Chinese had derived a set of aesthetic criteria for rhinoceros horn. What Cao Zhao, connoisseur of Ming, put down in his book *Gegu Yaolun (Essential Criteria in Identifying Antiques)* is quite representative. Unfortunately we failed to find any existing examples which meet these depictions in literature. In fact, those horns of certain translucency with distinct clear and regular texture are usually considered to be of good quality.

**Characteristics of Rhinoceros horn carvings of Ming and Qing dynasties**

Most of scholars believe that the majority of extant examples are from Ming and Qing dynasties. Rhinoceros horn carvings reached its peak around 17th century in the transitional period between the late Ming and early Qing.

In order to make full use of the precious raw material, artifacts are designed according to the natural shape and size of the horns. For this reason, the majority of Ming and Qing rhinoceros horn carvings are in the form of a cup. A creative imitation of the products of previous era results in large numbers of rhinoceros horn cups decorated with motifs derived from archaic bronzes. These carved pieces are normally reversed trapezoidal in shape with a slightly wide and high spout in the front and a debased handle in the rear. Some are exact copies of ancient bronze forms like *Ding*, *Jue* and *Yi*. Others like raft-cup shapes perfectly bring out the uniqueness of the raw material. Adapting to the designs, multi-layered carving in deep relief is widely employed. Other techniques like carving in the round, in high and low relief, and incised lines are also applied skillfully. At the same time, the polishing process is remarkably careful. Even the most hidden, unnoticeable and inaccessible areas, such as the joint of two facets and openwork parts, are perfectly finished. The object is so well done that the natural texture of the horn and the mellow, soft feeling of the material are completely presented. A special technique seldom used on other materials came into existence and developed during this period. In order to change the natural shape of rhinoceros horn, it was softened by boiling, steaming, or immersing into a herbal liquid. Staining was also frequently used to add an archaistic touch to the finished piece. The natural beauty of the raw material seemed less emphasized as before. Among the rich repertory of decorative patterns were flowers, such as magnolia, hibiscua and lotus. Heavily influenced by bamboo carving, landscape decoration on horn reached its artistic height. *Chi*-dragon always served as an important foil to the main motif. A big *Chi*-dragon, together with several small ones, often appeared along the mouth-rim to form the handle.

Later Ming dynasty saw the emergence of eminent rhinoceros horn carvers such as Bao Tiancheng and You Tong in the Jiangnan region. They were not only horn carvers, but also carvers of other media. Similarly, Ming bamboo carvers such as Zhu He and Pu Zhongqian were horn carver as well. So horn carving actually was very much related to carvings in bamboo, ivory, jade and lacquer etc. Researches in art form of these different media will help us to further our understanding on horn carvings.

No significant innovation took place during middle and later Qing period. Imperial workshop reached the peak of its prosperity in middle Qing. Some rhinoceros horn carvings of this period were of extremely refined workmanship and intricate design. These pieces embodied the art style of the south, while at the same time fulfilled the aesthetic appeal and taste of the imperial household. Products of imitating the past seemed to be carried out with a more rigorous approach. But in general, rhinoceros horn carvings of this period were only a continuation of the early tradition, with little breakthrough.

# 体例说明

故宫博物院保存传世犀角雕刻品达 200 件以上，仅就数字而言，在世界范围内也可说位居前茅。更值得一提的是，这批藏品中有 100 件左右出自清宫旧藏，或与宫廷有这样那样的关联，包含着丰富的历史信息，具有得天独厚的优势。而在新入藏的部分中，也不乏精品，如香港收藏家叶义先生的捐赠，就是对故宫博物院相关收藏的一次重要补充。

本书即力图较为集中而全面地介绍故宫博物院的犀角雕刻珍藏，并展示出相关领域的研究状况，在这一过程中尽可能实践以下编写构想：

1. 共收作品 167 件，占收藏总量的八成有奇，不仅包括了已公布的全部文物，而且新增近 30 件从未发表的遗珠。除掉一些药品、未成器者、保存状况不佳者及极少量雕刻品外，几乎可称全璧。

2. 注意图版细节，尤其是未发表过的，尽可能做到多角度多局部展示，提供完整的视觉信息。

3. 文字经过统一校订，剔除重复，删汰冗余，俾使各部分相互联系呼应，更为系统整齐。

4. 更重要的是，本书乃专题著录，可以根据其独特情况予以分类编排：大致以器形为标准分为杯盏类（图版 1 ~ 图版 134）及其他器形（图版 135 ~ 图版 167）二大类。杯盏类数量较多，故又根据装饰题材分作花果植物纹（图版 1 ~ 图版 48）、山水人物纹（图版 49 ~ 图版 71）、龙凤动物纹（图版 72 ~ 图版 86）、仿古式（图版 87 ~ 图版 128）和光素式（图版 129 ~ 图版 134）等细目，每小类下再将相近者排在一起。由于明清犀雕中螭纹的普遍性和特殊性，一般依据主题作变通地安置。仿古式则主要包含比较明确地模仿商周青铜器造型和纹饰的器物，但鉴于仿古意匠的广泛存在而有时又颇为含混，因此这一类别并未强作划定，容有交叠现象。其他类中器物形式比较多变，既有极具典型性的槎形器，又有造型规矩的碗及突破角形的鼎、壶、花篮之类，还有小型瓶、盒、笔架等文房清玩，体现了犀雕作品的丰富侧面。

5. 图版顺序没有按惯常的时代先后原则，这是根据犀角雕刻研究现状所作出的考量 —— 要提醒读者的是，器物的年代只作为参考标注，不当之处，还望方家指正。

# Notes on the catalogue

Housing more than 200 pieces of extant rhinoceros horn artifacts, the Palace Museum comes out in top in the world in terms of the number of the collected articles. It is particularly worth mentioning here that, more than one hundred pieces of rhinoceros horn objects are from imperial Qing family, or have various connections with the court. The rich historical significance it carries gives the collection an unparalleled advantage.

The catalogue tries to give a focused as well as all-around introduction to the related collection in the Palace Museum, to show the updated research in this field. It has features as follows:

1. The catalogue features 167 objects, nearly 30 of which are never published before. Accounting for eighty percent of the total number of the Palace Museum collection, the book is by far the most complete presentation of the rhinoceros horn artifacts housed there.

2. Attention is paid to details. For those never published, details from different angles are presented to provide complete visual information.

3. The writing is carefully polished and the style is consistent throughout the whole book.

4. Considering the unique development of rhinoceros horn art, the book is classified into two main categories regarding the shape of the objects: cup (pls. 1-134) and the others (pls. 135-167). Cups are rich in number and sorted according to different motifs such as flora and fauna (pls. 1-48), landscape (pls. 49-71), dragon, phoenix and animals (pls. 72-86), imitating the artifacts of the early eras in decoration(pls. 87-128),and plain (pls. 129-134). Similar pieces are put into the same subdivisions. Archaistic imitation includes mainly those modeled after bronzes in form and decoration. Objects that are not easily identified and are of broad archaistic design are not classified grudgingly. Those with *Chi*-dragon decoration are grouped together because of the universal use of the motif. Except cups, the others are varied in shape, presenting the rich variety in rhino horn carving design.

5. Considering the research of the rhino horn carving, the catalogue is not arranged in chronological order as normally. The dating of the objects is only for reference.

# 故宫博物院藏
# 犀角雕刻精品

Plates of rhinoceros horn
in the collection
of the Palace Museum

## 1. 犀角花果纹杯

明

<u>高 8 厘米　最大口径 18.7 厘米</u>

<u>最大足径 8.9 厘米　重 657 克</u>

**Cup with floral and fruit design**

Ming dynasty

Height 8 cm

Diameter of mouth (maximum) 18.7 cm

Diameter of foot (maximum) 8.9 cm

Weight 657g

以犀角近根部雕成，口如花瓣式，敛腹，下为镂雕竹枝圈足。杯身以浮雕及镂雕技法表现桃花、桃实、玉兰、竹叶、灵芝等，并浅刻叶脉、花筋。此杯雕刻简朴，以留白的杯身作为纹饰的衬托，磨工十分细腻，雕刻物象均为民间喜闻乐见的花果，同时又含有吉祥祝福之意，是一件值得重视的犀角雕刻作品。

依其形疑为非洲犀角雕成。

## 2. 犀角玉兰花果纹杯

明

<u>高 8.1 厘米　最大口径 16.8 厘米</u>

<u>最大足径 7.8 厘米　重 560.5 克</u>

**Cup with magnolia and fruit design**

Ming dynasty

Height 8.1 cm

Diameter of mouth (maximum) 16.8 cm

Diameter of foot (maximum) 7.8 cm

Weight 560.5g

杯撇口，形如倒盔。外壁浮雕玉兰婀娜开放，荔枝饱满硕大，葡萄剔透晶莹，纹饰布局疏朗，镂雕枝条圈转成环底。杯口处阴刻的叶片与浮雕的枝杆衔接，装饰效果极为独特。

此杯朴厚端庄，细节处又不失精雕细刻，打磨也甚为经心，故而才成就这样一件犀雕精品。

此器为香港收藏家叶义先生捐赠。

### 3. 犀角花果纹三足杯

<u>明</u>

<u>高 16.9 厘米　最大口径 14 厘米</u>

<u>足距 11.4 厘米</u>

**Three-footed cup with floral and fruit design**

<u>Ming dynasty</u>

<u>Height 16.9 cm</u>

<u>Diameter of mouth (maximum) 14 cm</u>

<u>Distance between  feet (maximum) 11.4 cm</u>

杯如一朵盛开的大花，三足仿佛三束折枝花果，枝蔓交错，托抱杯体。镂雕荷花、海棠、蜀葵、荔枝等，将其枝叶、花朵的开阖、偃仰、向背、叠压、转侧、穿插等关系作悉心组织，其工艺的熟练运用，拓展了犀角雕刻的表现力，使观者不知不觉间忘记了犀角本来的形状。同时，作者将角尖部一分为三，经变形处理令其外撇，形成底足，既满足实用要求，也增添了轮廓线的变化，是最具匠心之处。

据其形及纹理疑为非洲犀角雕成。

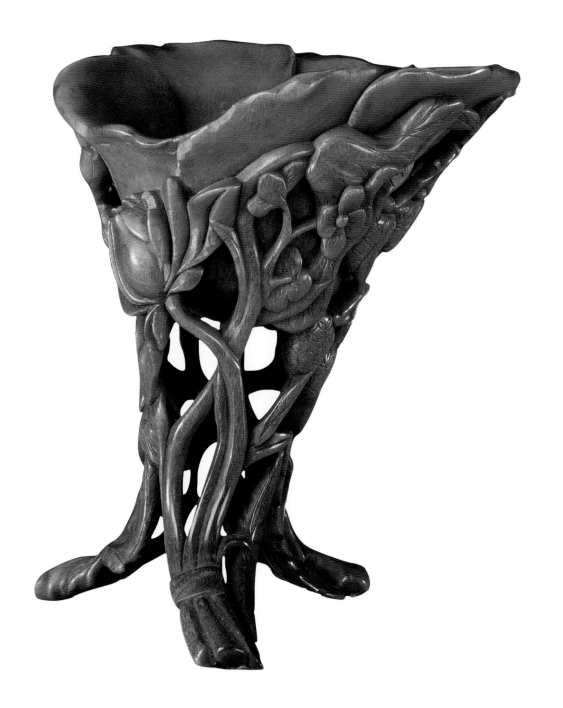

## 4. 犀角玉兰花纹杯

明晚期

高 6.4 厘米　最大口径 11.9 厘米

最大足径 5 厘米　重 133.2 克

**Cup with magnolia design**

Later Ming dynasty

Height 6.4 cm

Diameter of mouth (maximum) 11.9 cm

Diameter of foot (maximum) 5 cm

Weight 133.2g

折沿，深腹，杯身以高浮雕及镂雕技法刻画玉兰花及花苞，物象体面单纯，浑朴自然，而又不失立体感。以极浅的阴刻表现花萼等部分，与高浮雕形成对比。底足由花枝圈合而成。

此作雕刻精工，琢磨圆润，器物线条优美，是难得的犀雕佳构。

此器为香港收藏家叶义先生捐赠。

## 5. 犀角桃实玉兰花纹杯

明晚期

高 7.2 厘米　最大口径 13.2 厘米

最大足径 6.2 厘米　重 216.7 克

**Cup with peach and magnolia design**

Later Ming dynasty

Height 7.2 cm

Diameter of mouth (maximum) 13.2 cm

Diameter of foot (maximum) 6.2 cm

Weight 216.7g

杯深腹，折沿，口沿宽阔平展，俯视一端广一端狭，大抵保留犀角底盘之形。内壁光素，外壁浮雕玉兰花枝，其上一朵盛开的玉兰并几朵含苞欲放的花蕾，又浮雕桃枝，上结双桃。底足由镂雕的花果枝干盘曲而成。

此器采用浮雕、镂雕等技法，装饰单纯简朴，花叶间留有大面积空白，透露出时代气息。器表深红，有古旧质感，纹理已不明显。

此器为郭有守先生捐赠。

## 6. 犀角桃枝玉兰花纹杯

明晚期

高 9.3 厘米　最大口径 15.3 厘米

重 233.6 克

**Cup with peach breach and magnolia design**

Later Ming dynasty

Height 9.3 cm

Diameter of mouth (maximum) 15.3 cm

Weight 233.6g

杯敞口，作花瓣状，外壁以镂雕及浮雕技法为主，饰花枝环抱，一面为桃枝，其上有桃实、桃花，另一面玉兰花枝为横档，上雕玉兰数朵，含苞欲放。镂空枝干成柄式，环状底足亦由花果枝干组成。

此器雕工娴熟，风格古朴，曾经染色的痕迹清晰可辨，历经岁月侵蚀，色泽已似红木，别有一番韵味。

此杯为清宫旧藏，有清室善后委员会接收宫内文物时所编千字文号：丽字九八九号，查《故宫物品点查报告》第二编第九册卷五可知当时收贮于古董房，点查时间是民国十四年（1925 年）八月十四日上午，记录在一木架上第 3 号下，为"大小犀角杯二三个"中第 12 个。

## 7. 犀角玉兰花形杯

明晚期

高 9.5 厘米　最大口径 16.5 厘米

最大足径 5.2 厘米　重 294.5 克

**Cup in magnolia shape**

Later Ming dynasty

Height 9.5 cm

Diameter of mouth (maximum) 16.5 cm

Diameter of foot (maximum) 5.2 cm

Weight 294.5g

杯截取一段犀角雕成玉兰花形，杯口椭圆。外壁高浮雕并镂雕枝、叶及玉兰花瓣，杯身与装饰融为一体，状若花丛中盛放的一朵大花，清新自然，匠心独具。

杯经染色，追求一种古旧的色泽与肌理效果，注重疏密、繁简的对比，使装饰更富体量感，体现出较高的工艺水准。

此器为孙瀛洲先生捐赠。

## 8. 犀角葡萄纹螭耳杯

明晚期

高 8.9 厘米　最大口径 17.1 厘米

最大足径 4.3 厘米　重 276.5 克

**Cup with grape design and**
***Chi*-dragon handle**

Later Ming dynasty

Height 8.9 cm

Diameter of mouth (maximum) 17.1 cm

Diameter of foot (maximum) 4.3 cm

Weight 276.5g

杯以犀角雕成一片卷曲的葡萄叶状。内壁刻叶筋，外壁满雕葡萄及枝叶，果实饱满。杯耳由葡萄藤镂空而成，上攀一螭，探首直入杯内。杯身镂雕葡萄枝叶伸至杯底构成底足。

此器采用阴刻、镂雕等技法，刀法粗犷有力，纹饰简朴，却构思巧妙，透露出时代气息。

此作为清宫旧藏，有清室善后委员会接收宫内文物所编千字文号：夜字一五五号，查《故宫物品点查报告》第四编第三册卷四可知当时收贮于颐和轩，点查时间是民国十七年（1928 年）三月二十二日下午，一木箱内第16 件，记作"破木制水盂一个"，是否为点查人员失察误记，尚不得而知。

## 9. 犀角折枝秋葵纹尖底杯

明晚期

高 39.7 厘米　最大口径 14.6 厘米

**Full-tip cup with *Qiukui* scroll design**

Later Ming dynasty

Height 39.7 cm

Diameter of mouth (maximum) 14.6 cm

　　杯随形雕镂，作折枝蜀葵式。主枝至腰处分裂为二，于杯口处合抱，又有小枝盘绕其间，穿插转侧，变化多端。花瓣形之杯口随犀角纹路作螺旋式。杯内底挖刻花蕊。

　　为角形所限，枝叶、花苞的弯曲均略作夸张，但总体而言，较为写实。折枝之刀口表现得一丝不苟，镂雕、浮雕、浅刻等技法运用得游刃有余。染色于枝干处稍深，至花叶处趋淡，使其于古雅中见妍媚，是犀雕中的精品。

　　据其形及纹理疑为非洲犀角制成。

　　此杯为清宫旧藏，有清室善后委员会接收宫内文物时的千字文编号：丽字九八九号，查《故宫物品点查报告》第二编第九册卷五可知当时收贮于古董房，点查时间是民国十四年（1925 年）八月十四日上午，记录在一木架上第 3 号下，为"大小犀角杯二三个"中第 23 个。

## 10. 犀角花果螭纹荷叶形尖底杯

明晚期

高 20.8 厘米  最大口径 19 厘米

重 688.7 克

**Full-tip cup with floral and *Chi*-dragons design**
Later Ming dynasty
Height 20.8 cm
Diameter of mouth (maximum) 19 cm
Weight 688.7g

　　杯保留犀角原形，下部镂雕为玉兰、石榴等数条枝干合抱式，延伸至上部杯壁刻划出浮雕花朵、果实，并将材料的一处空洞巧作为榴实熟透的开裂，极具匠心。杯主体作荷叶式，口边翻卷，壁厚且省略筋脉的刻画。口内高浮雕相对二螭，方口圆睛，躯干粗壮。此器染色沉暗，器体硕大，雕刻风格偏于粗犷一路，是一件比较特别的作品。

## 11. 犀角秋葵纹花形杯

明晚期至清早期

高 6.3 厘米　最大口径 12.4 厘米

最大足径 4.8 厘米　重 125.7 克

**Flower-shaped cup with *Qiukui* design**

Later Ming to early Qing dynasty

Height 6.3 cm

Diameter of mouth (maximum) 12.4 cm

Diameter of foot (maximum) 4.8 cm

Weight 125.7g

杯体圆巧轻薄，口沿雕作花瓣相叠状，弧线连绵，花瓣侧边微翘，至内壁渐变成阴刻曲线，汇聚于内底，阴刻出花芯，线条柔美可喜。外壁亦雕成花瓣相互叠压式，并浮雕秋葵叶、花蕾、枝条等为饰。叶片锯齿状的边缘，与圆柔的花瓣恰成映衬。杯身一端刻画一枚硕大叶片，浮雕较高，从而使各部分纹饰区分出层次与主从。底为枝条环绕而成的圈足，既将花叶联系起来，又照顾到杯体的稳定性，设计相当精妙。

此器为香港收藏家叶义先生捐赠。

## 12. 犀角竹枝秋葵纹花形杯

明晚期至清早期

高 7.2 厘米　最大口径 12.4 厘米

重 161.9 克

**Flower-shaped cup with bamboo and *Qiukui* design**

Later Ming to early Qing dynasty

Height 7.2 cm

Diameter of mouth (maximum) 12.4 cm

Weight 161.9g

此杯为同类犀角杯中比较典型的形制。杯身作五瓣花形，蒂与环底枝条相联，而枝条又伸展至杯口，加上外壁浮雕的秋葵叶及花蕾等，构成了一个折枝花式的有机整体，既不失物像的美感，又很巧妙地解决了柄与底足的设置。镂空竹枝成了另一股杯柄，使整体纹饰更富变化，吉祥含义也更为丰满。至于柄间螭纹，则是一种程式化的装饰因素，犀角杯中最为常见。

该杯纹饰主题突出，风格含蓄，镂雕娴熟，琢磨精美，是一件不可多得的作品。

此器为香港收藏家叶义先生捐赠。

**13. 犀角秋葵纹玉兰花形杯**

明晚期至清早期

高 7.8 厘米  最大口径 13.5 厘米

重 110.3 克

**Magnolia-shaped cup with**
**_Qiukui_ design**

Later Ming to early Qing dynasty

Height 7.8 cm

Diameter of mouth (maximum) 13.5 cm

Weight 110.3g

以盛开的玉兰花为题，杯口做成轻薄的五瓣花形，镂雕折枝枝干及两朵花蕾成杯耳式样。又镂雕屈曲枝条，环绕杯底为足。上连秋葵、玉兰花蕾等，多用镂雕、浮雕工艺难度颇高。

此杯造型小巧，角质莹润，工艺精湛，是犀角陈设品中的佳作。

此器为香港收藏家叶义先生捐赠。

**14. 犀角玉兰花式杯**

明晚期至清早期

高 8.4 厘米  最大口径 17.1 厘米

重 208.5 克

**Cup in magnolia shape**

Later Ming to early Qing dynasty

Height 8.4 cm

Diameter of mouth (maximum) 17.1 cm

Weight 208.5g

此杯雕做盛开玉兰花形，杯内以阴刻线条勾勒出两层花瓣，近口沿处雕作波浪形态，内层瓣尖向内而外层向外，规律而富动态。杯身以折枝玉兰花枝叶为饰，枝条近底处分为两杈，合成二镂空半弧形足。浮雕玉兰花，花朵较细小，并列于杯壁，颇为独特。其染色效果亦属少见。

此器为香港收藏家叶义先生捐赠。

## 15. 犀角芙蓉秋虫纹花形杯

明晚期至清早期

高 9.2 厘米　最大口径 16 厘米

最大足径 4.4 厘米　重 219.6 克

**Flower-shaped cup with cottonrose hibiscus and insect design**

Later Ming to early Qing dynasty

Height 9.2 cm

Diameter of mouth (maximum) 16 cm

Diameter of foot (maximum) 4.4 cm

Weight 219.6g

杯如合拢之芙蓉叶形，外壁叶脉的阴线与内壁双钩线纹既相呼应又有区别，其放射状形态，有一种非对称的美感，颇有新意。镂雕枝干花蕾如柄式，延伸至下部成底足，恰与杯体构成正、倒、大、小三角形轮廓构图的对比，极具匠心。杯壁又浮雕野菊为衬，

一只大腹蝈蝈伏于花叶间，是此类犀杯装饰中不多见的。

杯形灵巧雅致，精致可喜，镂雕工艺运用自如，而杯体不失圆润肥厚的质感，是很能显现犀角制品独特性的作品。

此器为香港收藏家叶义先生捐赠。

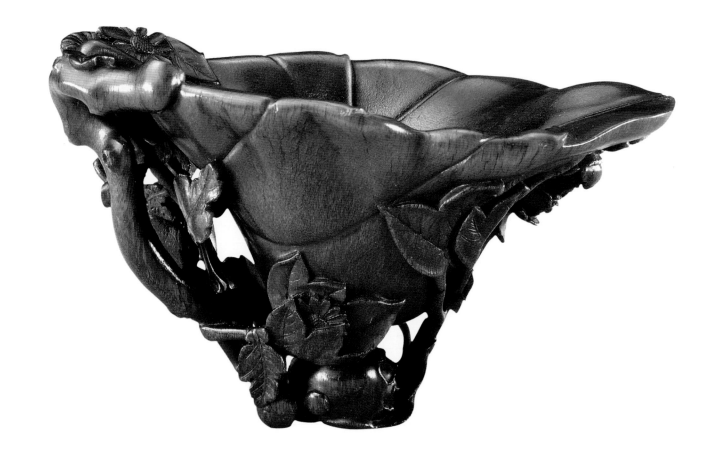

## 16. 犀角竹子灵芝纹杯

明晚期至清早期

高 7.8 厘米

最大口径 16.4 厘米  最大足径 5.6 厘米

重 208.2 克

**Cup with bamboo and *Lingzhi* design**
Later Ming to early Qing dynasty
Height 7.8 cm
Diameter of mouth (maximum) 16.4 cm
Diameter of foot (maximum) 5.6 cm
Weight 208.2g

杯形如斗，作剖空灵芝状，口沿自然卷曲。杯身有弦纹，印痕似水波晕散。杯身下镂雕竹枝及灵芝为底，而杯柄则雕成竹茎、藤蔓的造型。外壁亦浮雕竹叶、灵芝的形状。

杯身设计颇富想象力，在写实与抽象之间。原本竹与灵芝因其吉祥的象征寓意，是常见的装饰纹样组合，而此杯融合二者，颇有新意，简洁生动，十分别致。

此器为孙瀛洲先生捐赠。

### 17. 犀角灵芝螭纹杯

明晚期至清早期

高 7.9 厘米

最大口径 16.1 厘米　最大足径 5.8 厘米

重 261.5 克

**Cup with _Lingzhi_ and _Chi_-dragon design**

Later Ming to early Qing dynasty

Height 7.9 cm

Diameter of mouth (maximum) 16.1 cm

Diameter of foot (maximum) 5.8 cm

Weight 261.5g

杯敞口，敛腹，为典型的犀杯形制。杯身一侧浮雕竹子一竿，斜斜向上，一花尾螭龙，以尾缠绕竹竿，环身于流部之下，螭纹以高浮雕及局部镂雕表现，颈鬃纯以平行阴刻线刻画，灵活多变，层次分明。杯柄由灵芝及竹枝组成，多枚灵芝菌盖相连，向上伸至杯口，向下则于底部形成环状镂空底足。而在圆雕、浮雕与镂雕纹饰之外，还以凹凸有致的阳起棱

线与弧槽，规律地在杯壁内外构成呼应的弦纹及外壁局部的灵芝形，显示了不俗的磨工，使原本作为衬托的部分增添了独特的装饰美感。

此器纹饰虽不复杂，但布置得宜，繁简适当，能于不同部分运用不同表现手段，染色亦深沉均匀，于精工中不乏趣味，是一件颇具水准的作品。

此器为香港收藏家叶义先生捐赠。

## 18. 犀角荷叶形杯

明晚期至清早期

高 8.5 厘米　最大口径 17.2 厘米

重 219 克

**Cup in the form of lotus leaf**
Later Ming to early Qing dynasty
Height 8.5 cm
Diameter of mouth (maximum) 17.2 cm
Weight 219g

杯呈荷叶拳曲状，内外壁阴刻单、双线叶筋，口边则凹凸自然。这枚大叶本生于杯侧三茎折枝荷杆中其一之上，茎杆穿过杯底，交叉盘结，构成杯足与杯柄，设计巧妙，镂雕精工。细节刻划亦令人称赏，不论是闭合如蚌壳的荷叶，还是残留三瓣的荷花莲蓬，或是茎杆上密布的棘刺突凸，乃至摇曳的荷花，都形体饱满，刻画入神，极具典型意味。

此器于折枝处特为雕出绦带的细节，表明其不出"一把莲"式的构图，但以细腻工巧的风格取胜，使观者浑然不觉其套路，实已达至一定艺术境界。

此器为香港收藏家叶义先生捐赠。

## 19. 犀角荷叶形杯

明晚期至清早期

高 7.5 厘米　最大口径 16 厘米

重 214.5 克

**Cup in the form of lotus leaf**
Later Ming to early Qing dynasty
Height 7.5 cm
Diameter of mouth (maximum) 16 cm
Weight 214.5g

雕作大荷叶拳曲如杯，并以花、叶、杆相配，雕刻成绦带缠缚"一把莲"式，是此类犀角杯最常用的造型意匠。荷叶边缘微内卷成口沿，一侧收尖作流状，内外壁阴刻叶脉为饰。杯柄的结构颇为复杂，镂雕荷杆、荷花、荷叶、蓼草等延伸至杯壁，自然化为浮雕装饰；一朵荷花探至杯底作为底足。此器在犀角本型的限制内作了最大限度的发挥，花、叶的姿态极富美感，颇为写实，不论是蓼草上的虫蚀，还是花筋、莲实等细节的表现均一丝不苟，显示出成熟的犀角工艺水平。

此器为孙瀛洲先生捐赠。

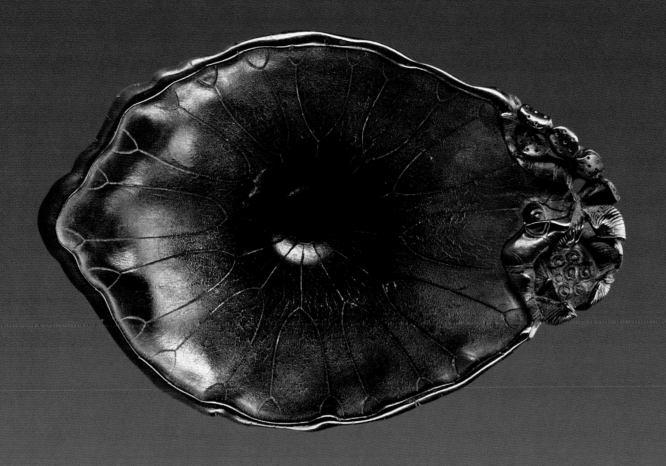

## 20. 犀角荷叶形杯

明晚期至清早期

高 10.7 厘米  最大口径 15.1 厘米

重 249.5 克

**Cup in the form of lotus leaf**

Later Ming to early Qing dynasty

Height 10.7 cm

Diameter of mouth (maximum) 15.1 cm

Weight 249.5g

杯身亦雕作"一把莲"式，主体为一大荷叶，卷曲成筒，口沿开敞。外壁高浮雕荷叶、荷花，杯下叶柄弯曲盘转成底足，造型舒放。荷花、荷叶的形式均做了大胆地夸张，荷叶的卷边、花瓣的伸展都用高浮雕乃至圆雕来表现，极富立体感。在浮雕、镂雕、圆雕之间自由如意地转换，显示出高超的工艺技巧。

此器为郭有守先生捐赠。

## 21. 犀角松树纹杯

<u>明晚期至清早期</u>

<u>高 6.1 厘米　最大口径 10.1 厘米</u>

<u>最大底径 4.4 厘米　重 124.6 克</u>

**Cup with pine branch design**

<u>Later Ming to early Qing dynasty</u>

Height 6.1 cm

Diameter of mouth (maximum) 10.1 cm

Diameter of bottom (maximum) 4.4 cm

Weight 124.6g

杯壁凹凸起伏，如老干、如巉岩，局部浮雕图案化的鳞片，粗犷而抽象，同时却又保留了杯的外型要素，如流口部分，十分巧妙，对于纹饰则能起到较好地衬托作用。杯外壁的松纹采用镂雕与高浮雕为主的技法，松树主干树立如杯柄式样，而伸出的松枝环抱杯体，屈曲虬结，雕刻精细，与杯身恰成对照。而在这种对比中，写实的松枝显得比例收小，整体的构图似乎得到扩张，从而具浑然而成、小中见大的效果，气度朴茂苍劲，格调不俗。

此器为香港收藏家叶义先生捐赠。

## 22. 犀角松竹梅纹花形杯

<u>明晚期至清早期</u>

<u>高 10 厘米　最大口径 13.8 厘米</u>

<u>最大足径 4.8 厘米　重 246 克</u>

**Flower-shaped cup with**
**Three Friend of Winter**

<u>Later Ming to early Qing dynasty</u>

Height 10 cm

Diameter of mouth (maximum) 13.8 cm

Diameter of foot (maximum) 4.8 cm

Weight 246g

杯敞口，作一朵大花式，内壁浮雕五瓣分为两层，相互叠压，是这类形制的典型设计。内底花心处微微凸起，轻巧生动。外壁纹饰为松、竹、梅三友，不依天然比例，离合穿插，融为一体，镂雕梅树枝干圈成环状底足。松干斜伸而出，再折回口沿，构图险极，镂空面积甚大，为此器之亮点。折枝之切口搭于口边，配以梅花及花蕾，十分别致。

此器雕刻圆润细腻，造型优美，是一件难得的精品。

此器为香港收藏家叶义先生捐赠。

## 23. 犀角梅枝纹花形杯

<u>明晚期至清早期</u>

<u>高 7.5 厘米　最大口径 14.3 厘米</u>

<u>最大足径 4.5 厘米　重 198.1 克</u>

**Flower-shaped cup with prunus design**

Later Ming to early Qing dynasty

Height 7.5 cm

Diameter of mouth (maximum) 14.3 cm

Diameter of foot (maximum) 4.5 cm

Weight 198.1g

　　杯作敞口敛腹花瓣式，底足内凹为梅花形。一侧浮雕并镂雕梅枝，略如柄式。杯体大部光素，仅以花瓣之间的交叠痕为装饰，梅花形足部是最具匠心之处，整体而言，纹饰主题突出而效果不俗，显示出犀角雕刻成熟时期较为高雅的审美趣味。

　　此器为孙瀛洲先生捐赠。

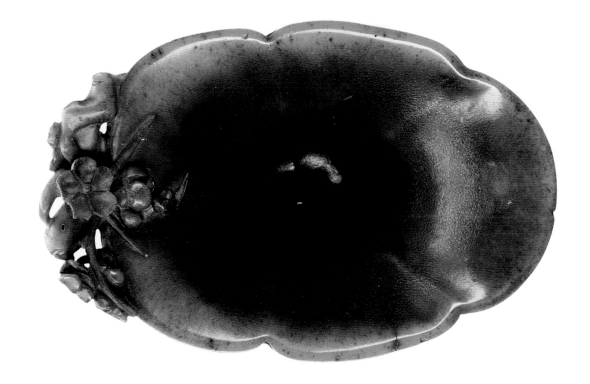

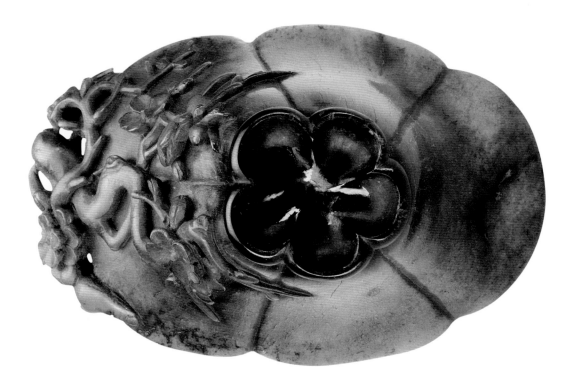

**24. 犀角佛手纹杯**

<u>明晚期至清早期</u>

<u>高 6.5 厘米　最大口径 11.8 厘米</u>

<u>最大足径 5 厘米　重 161 克</u>

**Cup with fingered citron design**

<u>Later Ming to early Qing dynasty</u>

<u>Height 6.5 cm</u>

<u>Diameter of mouth (maximum) 11.8 cm</u>

<u>Diameter of foot (maximum) 5 cm</u>

<u>Weight 161g</u>

杯随形，敞口，敛腹，略如半爿桃式。杯稍厚，凹凸圆润，磨制精谨，显现内壁细微若磨砂玻璃般的漫反射质感，含蓄悦目。外壁浮雕折枝佛手，树干盘曲，镂空作柄式，延伸出的枝叶与佛手果实，恰到好处地布置在杯的下部，烘托出器表光素部分独特的肌理，取得了和谐的装饰效果。

此器为香港收藏家叶义先生捐献。

**25. 犀角桃形杯**

<u>明晚期至清早期</u>

<u>高 8.8 厘米　最大口径 14.3 厘米</u>

<u>重 251.3 克</u>

**Cup in half-peach shape**

<u>Later Ming to early Qing dynasty</u>

<u>Height 8.8 cm</u>

<u>Diameter of mouth (maximum) 14.3 cm</u>

<u>Weight 251.3g</u>

杯体随形，作半爿桃实状，底收小，镂雕桃枝及花果、叶片成双股杯柄，延至杯底成为底座。纹饰集中于局部，与素雅的杯身形成对比。此杯设计雕刻均为上选，且经染色，更显古色古香。

此器为周作民先生捐赠。

### 26. 犀角双叶纹瓜形杯

明晚期至清早期

高 6 厘米　最大口径 13.3 厘米

重 97.2 克

**Cup in half-melon shape with leaves**

Later Ming to early Qing dynasty

Height 6 cm

Diameter of mouth (maximum) 13.3 cm

Weight 97.2g

杯作半爿瓜形，外壁浮雕连枝双叶，合抱杯身。作者独具只眼，选择习见物象，恰好符合犀角根部之形，只需翻转过来，略作处理，即成浅腹敞口，曲线优美的杯体，妙在似与不似之间。叶片的刻画尤见功力，翻卷、虫蚀等细节生动自然，寥寥数刀，添无穷意趣。为了形式的需要，省去杯柄，只于杯尾处外壁浮雕叶片间留出一道凹槽，正好容纳手指，轻轻提起即可，构思十分周到。

此杯为清宫旧藏，有清室善后委员会接收宫内文物时的千字文编号：丽字九八九号，查《故宫物品点查报告》第二编第九册卷五可知当时收贮于古董房，点查时间是民国十四年（1925 年）八月十四日上午，记录在一木架上第 3 号下，为"大小犀角杯二三个"中第 9 个。

## 27. 犀角水草纹杯

<u>明晚期至清早期</u>

<u>高 4.2 厘米 最大口径 9 厘米</u>

<u>最大底径 2.8 厘米 重 39.2 克</u>

**Cup with water plant design**

<u>Later Ming to early Qing dynasty</u>

Height 4.2 cm

Diameter of mouth (maximum) 9 cm

Diameter of bottom (maximum) 2.8 cm

Weight 39.2g

杯体小巧,敞口,敛底。口部俯视近椭圆,一侧稍宽而有尖端,一侧略窄而曲线流畅,流、尾分明,呈一枚花瓣式,轮廓极为优雅。外壁纹饰集中于下部,用浅浮雕表现水波纹,纹细如发丝,以图案化的构图成环环相叠状,如荡漾涟漪。水波中伸出蓼草数茎,有直伸、有弯折、有叠压,物象虽简,但在留白的映衬下,显得构图饱满。器表琢磨光润,凸显出犀角本身质地的美感。细节用力甚多,如杯口沿花瓣尖端,向下垂直伸延一道棱线,在不同角度及光影下,若隐若现,工巧不凡。

此器为香港收藏家叶义先生捐赠。

## 28. 犀角荷叶形带流杯

<u>明晚期至清早期</u>

<u>高 15.8 厘米</u>

<u>最大口径 19.3 厘米 重 470.9 克</u>

**Cup in the form of
lotus leaf and stem**

<u>Later Ming to early Qing dynasty</u>

Height 15.8 cm

Diameter of mouth (maximum) 19.3 cm

Weight 470.9g

杯以一只整角雕成,有身有流,作"一把莲"式。高明之处在于,身与流并非粘接,而是先取犀角施以雕刻,再经变形处理,弯曲而成。杯身为一只大荷叶,镂雕数小枝盘环旋绕,莲叶、莲蓬、莲花、花苞及一茎蓼草为衬托。近口沿处雕一螃蟹,以螯剪荷茎,憨态可掬,饶有生趣。杯流稍高于杯口且微曲,使作品更显纤秀。其中空一直贯穿至杯身,似乎刚好取代了"通天犀"的那道贯通条纹,这种转变非常耐人寻味。

其造型新颖,意匠或来自所谓"碧筒杯"。据唐人段成式《酉阳杂俎》载,三国魏郑公悫避暑于历城,取荷叶为杯,以簪将叶刺穿,使与叶茎相连,从茎的末端饮酒,因而"酒味杂莲气,香冷胜于水"。"碧筒杯"取诸自然而又富于风韵,体现了文人士大夫的生活品位、审美格调乃至无处不在的创意灵感和对时尚的引领作用。这种酒具一直闻名于世,直到清代,梁绍壬在《两般秋雨庵随笔》中,还认为各种饮酒方式中"以碧筒为最雅",也难怪犀角工艺中会出现此形制的器物了。

此杯为清宫旧藏,有清室善后委员会接收宫内文物所编千字文号:昆字二二八号,查《故宫物品点查报告》第二编第二册卷二可知当时收贮于南库,点查时间是民国十四年(1925 年)七月二十二日上午,记录在一五层木格第 47 号下,为"犀角破酒杯二个"之一。

## 29. 犀角荷叶形带流杯

明晚期至清早期

高 10.6 厘米

最大口径 16.8 厘米　重 284.2 克

**Cup in the form of
lotus leaf and stem**

Later Ming to early Qing dynasty

Height 10.6 cm

Diameter of mouth (maximum) 16.8 cm

Weight 284.2g

典型的束莲"碧筒杯"式。叶为身，其下弯折上举成流，流中空与身相通，外壁镂雕莲花、莲蓬、小叶、苇草等为点衬。弯折处数茎镂空，枝叶恰好组成支架，支撑杯体不致倾覆，十分周到。而总体风格较为写实，在刻画上清晰肯定，一丝不苟，如叶缘的翻卷、叶筋的凹凸和苇草的穗子等，都是极具特点的部分。

此器为香港收藏家叶义先生捐赠。

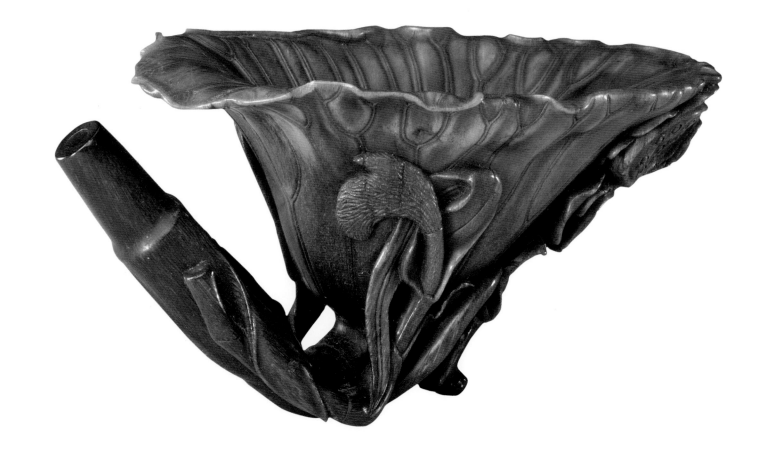

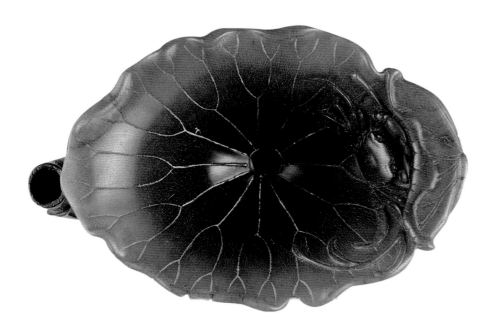

## 30. 犀角荷叶形带流杯

明晚期至清早期
高 7.9 厘米　最大口径 12.4 厘米　重 240.1 克

**Cup in the form of lotus leaf and stem**
Later Ming to early Qing dynasty
Height 7.9 cm
Diameter of mouth (maximum) 12.4 cm
Weight 240.1g

　　杯为碧筒式，流口略低于杯沿，弯折角度颇大。内底镂孔与流通。外壁除点缀荷花、荷叶、苇草之外，还雕刻与莲荷主题并无有机联系之花卉纹饰。内壁浮雕一小蟹，憨态可掬。纹饰表现上较多使用了极浅的阴刻线条，力度上略感纤弱。

　　此器为香港收藏家叶义先生捐赠。

## 31. 犀角花果纹尖底杯

明晚期至清早期

高 12.5 厘米　最大口径 13.8 厘米　重 186 克

**Full-tip cup with floral and fruit design**

Later Ming to early Qing dynasty

Height 12.5 cm

Diameter of mouth (maximum) 13.8 cm

Weight 186g

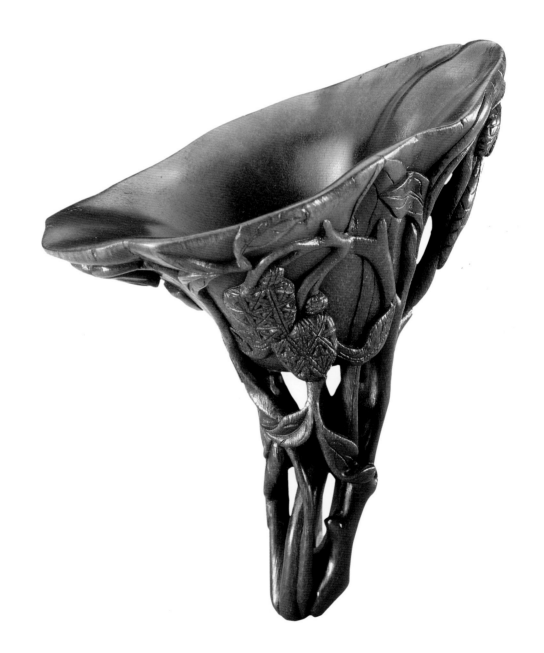

　　保留犀角原形，制成敞口尖底杯式，杯身似一花朵，口沿如花瓣翻折，圆底正中有蒂梗，围绕此花梗镂雕出各式茎杆、枝条，向下逐渐聚拢，向上伸展至杯身外壁，成为浮雕的荷花、莲蓬、荔枝果实等。一侧镂雕禾草二茎，构成杯柄式样。纹饰写实，富于装饰意味，浮雕与镂雕技法转换灵活，不拘一格，器物上部的稳重沉着和下部的轻盈灵巧，形成了鲜明的对比，效果强烈。

　　此器为香港收藏家叶义先生捐赠。

## 32. 犀角花鸟纹杯

清早期

高 10 厘米  最大口径 18.5 厘米

最大足径 5.6 厘米  重 362 克

**Cup with floral and bird design**

Early Qing dynasty

Height 10 cm

Diameter of mouth (maximum) 18.5 cm

Diameter of foot (maximum) 5.6 cm

Weight 362g

杯体较厚重，底内凹近圈足式。外壁以浮雕技法为主表现纹饰，菊花、鸡冠花、秋葵等花卉生长于岩壁间，一翠鸟飞掠而过，其布局疏朗，凸起清晰。又镂雕花枝与岩罅为杯柄式。内壁亦雕刻转折的岩石及翠鸟一。纹饰的表现突出了岩壁的直线折棱，既不失装饰性又强调了阳刚快利的风格，同时也显露了良好的琢磨功夫，是一件很有特点的作品。

此器为孙瀛洲先生捐赠。

## 33. 犀角花蝶纹杯

清早期

高 12.8 厘米　最大口径 16.2 厘米

最大足径 5.4 厘米

**Cup with floral and butterfly design**

Early Qing dynasty

Height 12.8 cm

Diameter of mouth (maximum) 16.2 cm

Diameter of foot (maximum) 5.4 cm

杯敞口，杯体弧线修长优美，杯底收小。外壁通体雕梅、兰、菊、茶等花卉。花叶扶疏，并以湖石相衬。菊叶于石中生出，相互缠绕，组成杯柄式样。菊花的枝叶垂入杯口。一蝶飞舞于花丛间，一蝶憩息于兰叶上。内壁刻山石纹理，里外纹饰浑然一体。

此杯采用高浮雕、镂雕、阴刻等技法雕成，纹饰满密，宛然如生。

此杯为清宫旧藏，有清室善后委员会接收宫内文物时所编千字文号：丽字九八九号，查《故宫物品点查报告》第二编第九册卷五可知当时收贮于古董房，点查时间是民国十四年（1925 年）八月十四日上午，记录在一木架上第 3 号下，为"大小犀角杯二三个"中第 16 个。

## 34. 犀角花卉草虫纹杯

清早期

高 12.1 厘米　最大口径 14.4 厘米

最大底径 3.8 厘米　重 305.1 克

**Cup with floral and insect design**
Early Qing dynasty
Height 12.1 cm
Diameter of mouth (maximum) 14.4 cm
Diameter of bottom (maximum) 3.8 cm
Weight 305.1g

敞口，小平底，口沿一周磨平。外壁高浮雕叠石花卉、庭园小景，一只螳螂悠游花下。纹饰凸起较高，轮廓肯定，局部配以阴刻，突出花和叶的阴阳、向背、转侧等，立体感很强。层次较为单纯，布置也不满密，留有隙地，很有时代特点。镂雕花枝与湖石并列成杯柄式样。此器经染色成深红，但内壁的鱼子纹依然清晰可见，以手触之，有细微的鳞状凹凸，显示出材质本身的独特肌理和质感。

此杯为清宫旧藏，有清室善后委员会接收宫内文物时的千字文编号：丽字九八九号，查《故宫物品点查报告》第二编第九册卷五可知当时收贮于古董房，点查时间是民国十四年（1925 年）八月十四日上午，记录在一木架上第 3 号下，为"大小犀角杯二三个"中第 17 个。

## 35. 犀角双鹂芙蓉纹花形杯

清早期

高 9 厘米　最大口径 15.6 厘米

最大足径 5.1 厘米　重 302.5 克

**Flower-shaped cup with oriole
and cottonrose hibiscus design**

Early Qing dynasty

Height 9 cm

Diameter of mouth (maximum) 15.6 cm

Diameter of foot (maximum) 5.1 cm

Weight 302.5g

　　杯体如花朵般，花瓣相互叠压，外壁浮雕
两枝菊花为点缀，而主要的芙蓉花及枝、叶
装饰，则集中于下部与杯之一侧，以镂雕技法
精心琢刻，构成底足与杯柄，同杯之花形恰好
形成虚实、繁简的对比，装饰效果不俗。杯
内浮雕过枝杈丫，一对黄鹂嬉于其间。

　　此杯雕刻精湛，染色自然，纹饰清新细
腻又不失吉祥寓意，是一件风格典雅的作品。

　　此器为香港收藏家叶义先生捐赠。

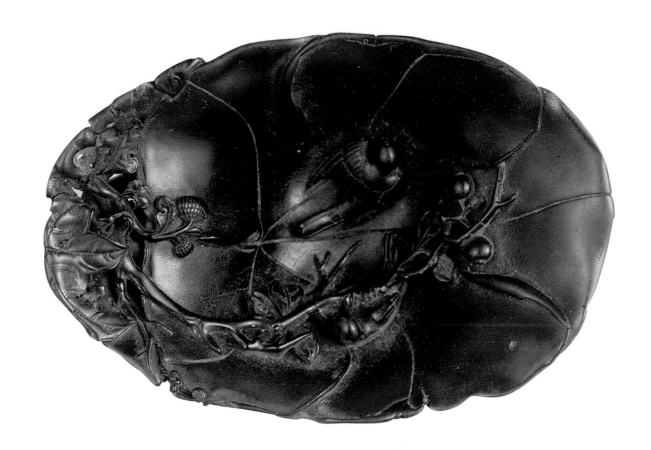

## 36. 犀角灵芝纹杯

清早期

高 4 厘米　最大口径 6.7 厘米

最大足径 4 厘米　重 45.2 克

**Cup with *Lingzhi* design**

Early Qing dynasty

Height 4 cm

Diameter of mouth (maximum) 6.7 cm

Diameter of foot (maximum) 4 cm

Weight 45.2g

　　杯体轻巧，口边较薄，呈现不规则的连弧形，外壁近口、底处分别高浮雕纹饰，似灵芝，又似老树之瘿瘤，利用了其本身的凹凸结构，刻工流畅，琢磨圆润，色如蜂蜜，丝纹清晰，质地极佳，同样造型的器物亦十分罕见。

　　此作为清宫旧藏，有清室善后委员会接收宫内文物所编千字文号：金字六七六号，查《故宫物品点查报告》第三编第五册卷二可知当时收贮于永寿宫，点查时间是民国十四年（1925年）九月一日下午，记录为："犀角杯一个。"

## 37. 犀角松梅海棠纹杯

清早期

高 11.2 厘米　最大口径 15.5 厘米

最大底径 4.2 厘米　重 287.8 克

**Cup with pine, prunus and begonia design**

Early Qing dynasty

Height 11.2 cm

Diameter of mouth (maximum) 15.5 cm

Diameter of bottom (maximum) 4.2 cm

Weight 287.8g

　　杯敞口，修身，平底，底后填，微外撇。形体较细瘦而秀美，杯壁稍厚而圆润，杯身装饰松、梅、海棠、山石等林泉小景，一道溪水自石间流泻，水纹如丝，宛转伸延至杯底。镂雕松干于杯侧呈柄式，松枝倾入口内。纹饰虽较满密，浮雕层次却有条不紊，过渡清晰，细节的表现如水波纹的纤细和弹性、松针的立体感，及凹入的花瓣中微凸的花蕊，都颇为精到。

　　此器风格清新，松针、松鳞等部分的刻画手法可与同时期竹刻风格相印证，是一件颇有价值的犀角雕刻小品。

　　此器为孙瀛洲先生捐赠。

## 38. 犀角松石纹杯

清早期

高 7.4 厘米 最大口径 15.8 厘米

最大底径 5.3 厘米 重 283.3 克

**Cup with pine and rock design**
Early Qing dynasty
Height 7.4 cm
Diameter of mouth (maximum) 15.8 cm
Diameter of bottom (maximum) 5.3 cm
Weight 283.3g

　　杯折沿,敛腹,椭圆形小平底。器壁圆浑,
磨工精细,借助犀角本身的结构,在杯侧浮雕
出湖石老松,枝干屈曲,伸入口内。局部应用
镂雕、阴刻等技法,刻画传神。其余大部光素,
突显材质天然的特质与美感。

　　此器为孙瀛洲先生捐赠。

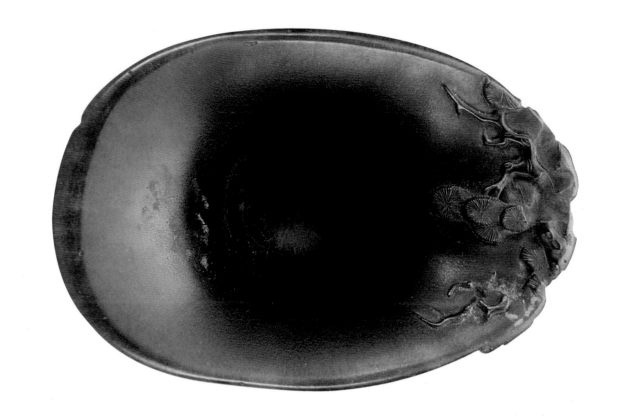

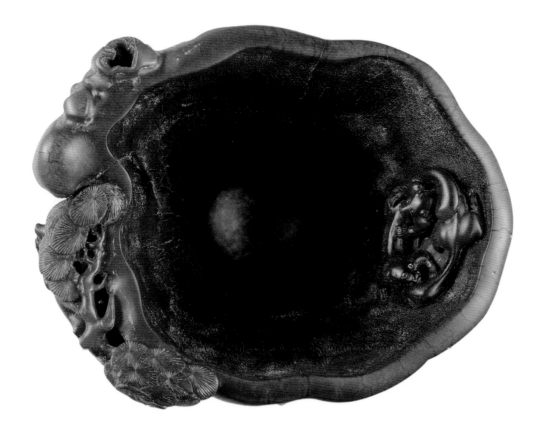

## 39. 犀角松树双鼠纹杯

清早期

高 10.2 厘米 最大口径 13.7 厘米

最大底径 5.5 厘米 重 503.7 克

**Cup with pine and squirrels design**
Early Qing dynasty
Height 10.2 cm
Diameter of mouth (maximum) 13.7 cm
Diameter of bottom (maximum) 5.5 cm
Weight 503.7g

杯敞口，口边略内收，平底，腰身线条较直，整体呈斗式。杯壁较厚，外壁瘿瘤、松鳞累累，如老松枝干。一侧以浮雕及镂雕方法，表现松枝蟠曲为柄式，针叶雕作图案化的轮饼状，相叠成组，很有特点，可与竹雕中常见的松纹杯之纹饰相比勘。在松干部位有明显的虫蚀缺损，可能为原材本身所有，经作者巧作而成老树裂鳞，遮掩颇为成功。杯口内流部高浮雕二松鼠，首尾相衔成环。此杯磨工颇佳，加之年深日久，外壁形成一种如脂膏般的质感，与内壁的鱼子纹肌理相互对比，突显出犀角雕刻独特的材质之美。

此器为香港收藏家叶义先生捐赠。

## 40. 犀角花草纹荷叶形杯

清早期
高 8.9 厘米　最大口径 15.5 厘米
最大底径 4.2 厘米　重 222 克

**Cup in the form of lotus leaf with floral and plant design**
Early Qing dynasty
Height 8.9 cm
Diameter of mouth (maximum) 15.5 cm
Diameter of foot (maximum) 4.2 cm
Weight 222g

　　杯荷叶形，以浅浮雕配合阴刻勾画叶脉，装饰性极强。外壁浮雕荷花、水仙，并镂雕蓼草为柄式，花草纤细劲挺，雕刻精美。近底处雕水纹，工细如发缕，令人赞叹。浪花成组，向一个方向涌动，至底部汇聚成涡，颇有图案的程式化倾向。内壁镂雕一小螭正游弋而上，不失犀角雕刻仿古的格调。

　　此器为孙瀛洲先生捐赠。

## 41. 犀角花果纹尖底杯

清早期

高 21 厘米 最大口径 17.7 厘米 重 537 克

**Full-tip cup with floral and fruit design**

Early Qing dynasty

Height 21 cm

Diameter of mouth (maximum) 17.7 cm

Weight 537g

　　杯保留原角形雕镂而成，经染色，色泽深沉匀美。器身分作二部，上部主体雕成葡萄叶叠拢为杯式，下部镂空，虚实对比，设计巧妙。纹饰以葡萄、石榴、桃之果实枝叶为主题，与明清时流行的"三多"纹近似，寓意亦不出"多子多寿"的吉祥含义。技法多用高浮雕甚至圆雕，故果实饱满，叶片肥厚，枝条丰润，藤蔓缠绕，满密处累累垂垂，纹饰间却又能够让出空间，如留白般，起到了很好的衬托作用。而细节的表现亦富特点：葡萄粒粒浑圆而不成串，桃实、石榴小巧玲珑，叶片边缘翻卷而中部内凹，藤蔓拳曲如簧，处处都于写实中不失装饰意味。

　　此器为香港收藏家叶义先生捐赠。

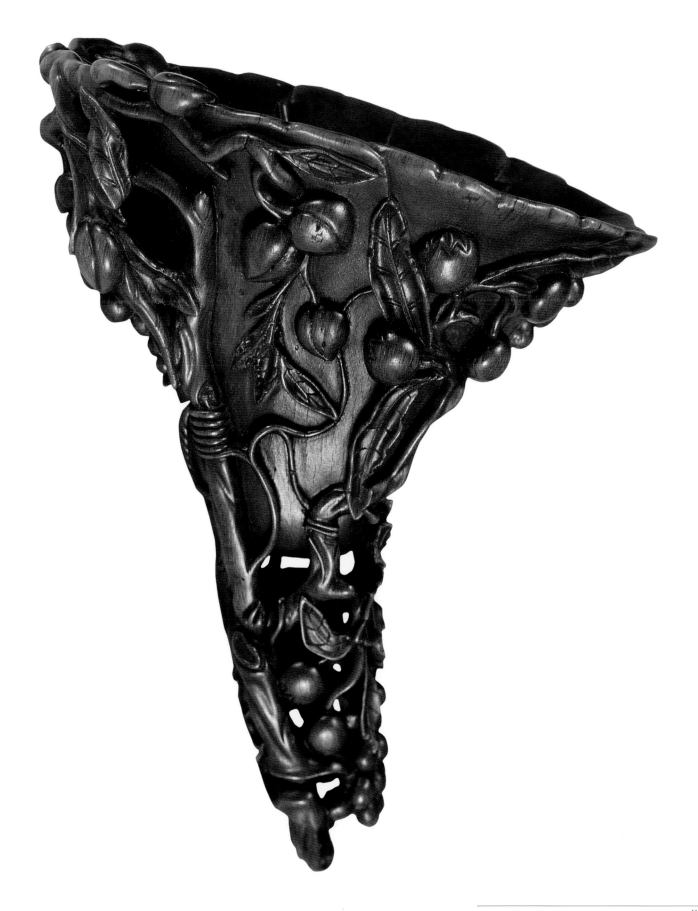

## 42. 犀角松梅纹尖底杯

清早期至清中期

高 10.7 厘米　最大口径 12 厘米　重 197.5 克

**Full-tip cup with pine and prunus design**

Early Qing to middle Qing dynasty

Height 10.7 cm

Diameter of mouth (maximum) 12 cm

Weight 197.5g

　　此杯以犀角的原形略作剪裁而成。色偏黄，不透明，似经染色。杯壁较厚，其内光素，其外以浅浮雕刻画松、梅等纹饰，不用其他表现技法，是犀雕工艺中很少见的。杯身略雕出瘿节、裂罅之痕，使杯体如一段老干。一侧镂雕松、梅为杯柄式，松枝、梅花及枝上藤蔓伸延至杯壁。其浮雕虽浅，但梅花筋蕊、松树针叶等细节却也交代得清晰可辨。总体而言，纹饰刻画手段较为单纯，表现出一种不同于常见作品的装饰风格。

　　此器为香港收藏家叶义先生捐赠。

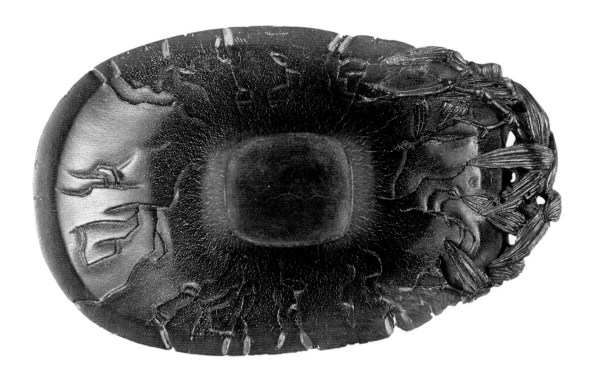

## 43. 犀角竹石纹杯

清中期

高 10 厘米　最大口径 14.4 厘米

最大足径 5.6 厘米　重 343.5 克

**Cup with bamboo and rock design**

Middle Qing dynasty

Height 10 cm

Diameter of mouth (maximum) 14.4 cm

Diameter of foot (maximum) 5.6 cm

Weight 343.5g

　　杯体较厚重，敞口，敛腹，小底，造型大方。外壁主体纹饰为浅浮雕岩石，效果如运笔勾勒，作几何形的简化处理，各种短促的折线与不规则的几何块面，构成繁复的图形关系。在浅浮雕之外，局部还使用高浮雕技法，使岩石层次变化更为丰富。杯身一端镂雕孔隙嶙峋的岩壁为柄式。旁镂雕斜伸修竹一茎，至口沿处，竹叶分向口内外低垂。又浮雕嫩竹数竿为衬托。细节刻画精到，即令竹叶上之虫蚀瘢痕，均一览无余。内壁亦刻成岩石状肌理，与外壁纹饰呼应。大面积的雕刻石纹在犀角雕刻中似乎并不多见，此作将竹、石结合起来，受绘画艺术的影响，取意蕴藉清雅，构图复杂而控制得当，无疑是同类作品中成功的例子。

　　此器为香港收藏家叶义先生捐赠。

## 44. 犀角苍岩松柏纹杯

清中期

高 9.9 厘米　最大口径 11 厘米

最大底径 5.7 厘米　重 361.3 克

**Cup with rock, pine and cypress design**

Middle Qing dynasty

Height 9.9 cm

Diameter of mouth (maximum) 11 cm

Diameter of bottom (maximum) 5.7 cm

Weight 361.3g

杯敞口，小底，如斗式，无明显束腰。杯壁较厚，外雕岩壁间，溪流蜿蜒，直入杯底。夹岸生柏、桐、枫树，又镂雕松树为柄式，松枝伸入杯口。杯壁空间有限，却采通景构图，以点带面，将林木蓊郁崖岸峻拔的开阔景象表现了出来。

此器雕镂虽难称精密，但却也颇有特点，如以较深的线条表现山石裂鳞，以细琐的浮雕凹凸表现树叶等，都是以刀代笔，追求笔墨意蕴的一种尝试，也使其装饰细节在突出雕刻力度的同时，气韵融贯，不失传统山水画般的境界。

此器为香港收藏家叶义先生捐赠。

## 45. 犀角荷花纹尖底杯

清中期

高 20 厘米　最大口径 8.2 厘米

重 145.8 克

**Full-tip cup with lotus design**

Middle Qing dynasty

Height 20 cm

Diameter of mouth (maximum) 8.2 cm

Weight 145.8g

杯作筒形花式，口沿弯折，俯视呈三瓣连弧形，如花朵含苞待放，极为优美。杯身下镂雕茎杆、莲蓬、莲叶、水仙、蓼草等，最下部圆雕成一束并以绦带缠缚状，是将自宋代即流行于瓷器等工艺领域中的"一把莲"纹饰，创造性地作了立体表现。中部玲珑剔透的镂雕，形成了数条修长匀美的竖直线条，为避免雷同，又利用茎的弯曲，叶片的翻转以及荷叶的椭圆面，营造出线与面的对应关系，线与线的立体空间关系，以较少的造型元素构建多变的装饰效果，显现高明的意匠。而镂雕与杯身的浮雕、下部聚拢的圆雕，都过渡自然。

此杯装饰主题并不罕见，但其表现手法却有自身特点，材料细瘦修长，纹饰图案化趋势显著，使它看起来更为轻巧、简洁且重点突出。

此器为香港收藏家叶义先生捐赠。

## 46. 犀角松竹梅纹杯

清

高 7 厘米　最大口径 14.8 厘米

最大底径 6.4 厘米　重 311.4 克

**Cup with Three Friend of Winter design**

Qing dynasty

Height 7 cm

Diameter of mouth (maximum) 14.8 cm

Diameter of bottom (maximum) 6.4 cm

Weight 311.4g

杯体厚重，内膛较浅，口沿呈不规则连弧形，平底。染色不甚均匀。一侧凹入很深的所谓"天沟"痕迹被保留下来，但未用作杯柄的设置，这是不同于大多数犀角杯之处。外壁浮雕纹饰，下部为海水江崖及灵芝等，上部为松、竹、梅等，纹饰间关系较为松散，不追求透视或立体感，装饰效果独特。

此器为孙瀛洲先生捐赠。

**47. 犀角兰花游鱼纹荷叶形杯**

清

高 6.1 厘米 最大口径 10 厘米

重 134.6 克

**Cup in the shape of lotus leaf
with orchid and fish design**

Qing dynasty

Height 6.1 cm

Diameter of mouth (maximum) 10 cm

Weight 134.6g

荷叶状，碗式，圆底。口沿凸凹翻卷，肖形生动。内壁阴刻叶脉，外壁相应位置凸起双钩筋线，实际上线条并未高出杯壁平面，只是通过将其两侧剔刻为斜坡状槽，从而使观者产生阳文的错觉。这种表现手法在犀角雕刻中常用来刻画植物叶片、花朵的筋脉，在其他工艺领域也不乏实例，有的学者形象地称之为"双阴挤线"[注1]。杯身纹饰纯以浮雕刻画，这在同类作品中显得十分特别。下部为水波纹，至杯底汇聚成涡。游鱼水族等点缀其间，一只小蟹似正爬向杯口，兰花、禾草低垂，临流照影，颇含诗意。此杯最大限度地利用了材质，染色深沉，形制与技法都较为特殊，是一件耐人寻味的作品。

此杯为香港收藏家叶义先生捐赠。

注 1：承蒙许晓东女史见告，这一说法当由玉器领域研究者提出，的确生动形象。

**48. 犀角荷叶形尖底杯**

清

高 17 厘米 最大口径 16.3 厘米

重 298.5 克

**Full-tip cup with floral design**

Qing dynasty

Height 17 cm

Diameter of mouth (maximum) 16.3 cm

Weight 298.5g

上部作浅杯状，如荷叶式，边缘呈连弧曲线，其下镂雕荷花、茨菰等为衬。茎杆的竖直线条和交错的枝叶环绕托举出主体的荷叶杯，下部尖端雕刻水波纹。

此器保留犀角原形，在技法上追求大面积镂空和繁复多变的效果，实际上耗损不少，效果略嫌单调板滞，似带有清晚期犀角雕刻的一些特点。

此器为周作民先生捐赠。

## 49. 犀角八仙庆寿图杯

明晚期至清早期

高 17.3 厘米　最大口径 20.1 厘米

最大底径 6.8 厘米　重 888.5 克

**Cup with scene of Eight Immortals
Offering Birthday**

Later Ming to early Qing dynasty

Height 17.3 cm

Diameter of mouth (maximum) 20.1 cm

Diameter of bottom (maximum) 6.8 cm

Weight 888.5g

杯体硕大，杯壁厚重，敞口敛足，浮雕山水人物为饰，并镂雕虬松巨干成柄式，自底至口，藤萝缠绕，枝叶伸入杯口。一面雕八仙立于林间隙地，另一面雕寿星盘膝而坐，手捧如意，身旁立二童子，一老者坐于石上似正发问。流下则雕溪桥远崖、白鹤翔舞及刘海金蟾，将两面的纹饰勾连了起来。

此器庄重朴拙，刀法浑厚有力，气魄不凡，在构图满密之处几不容针，而疏旷之处则铲出大片空白，很能显示这一时期的工艺特点。

此杯为清宫旧藏，有清室善后委员会接收宫中文物时所编千字文号：调字一五四号，查《故宫物品点查报告》第二编第四册可知当时收贮于钟粹宫，点查时间是民国十四年（1925 年）四月十四日下午，记录在一硬木大橱柜内第 50 号下，正是"大小犀角花插三个（内一有乾隆御题）"之一。

## 50. 犀角兰亭图尖底杯

<u>明晚期至清早期</u>

<u>高 37.4 厘米　最大口径 17.8 厘米　重 738.2 克</u>

**Full-tip cup with scene inspired by Literary
Gathering at the Orchid Pavilion**

<u>Later Ming to early Qing dynasty</u>
<u>Height 37.4 cm</u>
<u>Diameter of mouth (maximum) 17.8 cm</u>
<u>Weight 738.2g</u>

　　杯体硕大，外壁采取螺旋式构图，雕东
晋时期王羲之等人在兰亭欢聚宴饮的故事。
由下而上，刻画了姿态各异的 23 个人物，衬
以崇山峻岭，茂林修竹，小桥亭榭，曲水白鹅。
镂雕松纹延伸至口内，衬托浅浮雕祥云及镂
雕螭、龙纹各一，装饰效果突出。

　　此杯工艺精湛，琢磨上佳，其上部主要
用浮雕法，下部则以镂雕为主，纹饰层次分明，
立体感很强。

　　从其外形推测，应为亚洲犀角所制，然
形体如此巨大的，尚属少见。

　　此杯为清宫旧藏，有清室善后委员会接
收宫中文物时所编千字文号：丽字九八九号，
查《故宫物品点查报告》第二编第九册卷
五可知当时收贮于古董房，点查时间是民国
十四年（1925 年）八月十四日上午，记录在
一木架上第 3 号下，为"大小犀角杯二三个"
中第 22 个。

## 51. 犀角十八学士图杯

清早期

高 13.7 厘米　最大口径 17.9 厘米

最大底径 6 厘米　重 495.1 克

**Cup with scene of Eighteen Scholars**
Early Qing dynasty
Height 13.7 cm
Diameter of mouth (maximum) 17.9 cm
Diameter of bottom (maximum) 6 cm
Weight 495.1g

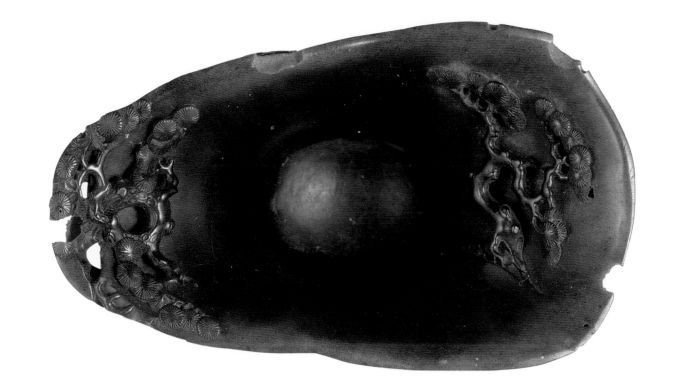

　　杯敞口敛足，镂雕松树为柄式。口内雕山岩松枝，外壁高浮雕山水人物，似为传统的"十八学士"题材。取螺旋式构图，18 个人物散布于岩隙间、松柏后、溪桥上，或乘马，或步行，或抬手指引，或相互扶持，人小如豆，却眉目清晰，神态俨然。景物层次繁复，交代明确，丝毫不显局促。其镂雕、高浮雕、浅浮雕、阴刻等技法应用娴熟，转换自然，代表了犀角雕刻成熟时期的工艺水平。

　　所谓"十八学士"，指唐初太宗开设文学馆，以杜如晦、房玄龄、于志宁、苏世长、薛收（死后由刘孝孙补入）、褚亮、姚思廉、陆德明、孔颖达、李玄道、李守素、虞世南、蔡允恭、颜相时、许敬宗、薛元敬、盖文达、苏勖十八人为文学馆学士，并命阎立本绘《十八学士写真图》，一时传为美谈。后来，唐玄宗又效仿这一行为重新集结当时著名文人，也称为"十八学士"。这种由帝王钦定资格的荣誉很为士人所看重，"十八学士"逐渐成为喜闻乐见的典故，也带上了吉祥含义，成为艺术品中经常表现的题材。

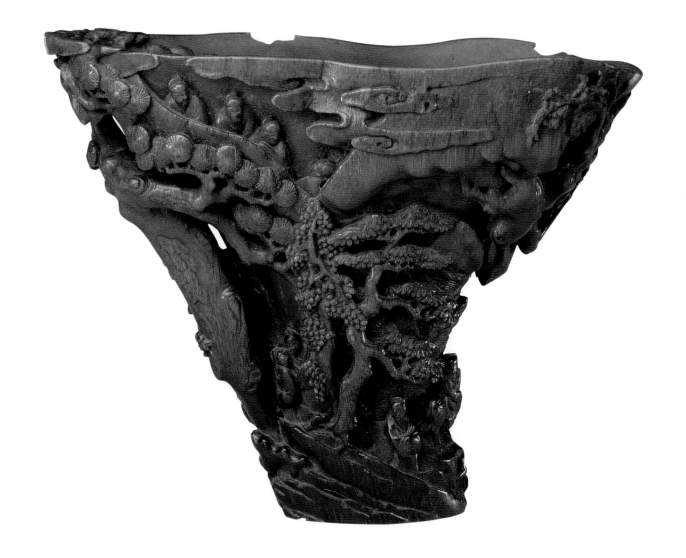

## 52. 犀角西园雅集图杯

清早期

高 13.9 厘米　最大口径 15.8 厘米

最大足径 4.8 厘米　重 437.4 克

**Cup with scene inspired by**
**Literary Gathering at the West Garden**

Early Qing dynasty
Height 13.9 cm
Diameter of mouth (maximum) 15.8 cm
Diameter of foot (maximum) 4.8 cm
Weight 437.4g

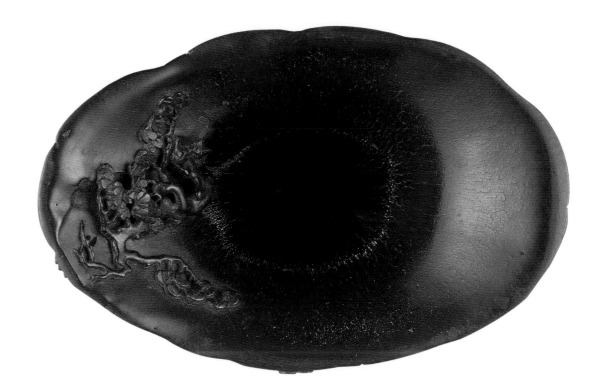

　　敞口，修身，底内凹，成高圈足式。外壁
以"西园雅集"为题材，浮雕主次人物共 35 人，
分为 8 组，或饮酒，或晤谈，或相送，或参禅，
或踞榻，或作画，姿态各异。虽人小如豆，却
眉目清晰。景物疏朗有致，岩壁、树木、水流、
桥梁布置妥贴，恰成映衬。并镂雕山石桧柏
为杯柄式。其纹饰丰富细腻，层次分明，统
一在完整的画面里，体现出高超的设计技巧。
杯口内浮雕屈曲树枝一，似穿壁而出，将整体
纹饰联系了起来。

　　此器为香港收藏家叶义先生捐赠。

## 53. 犀角狩猎图杯

清早期

高 13.5 厘米　最大口径 16.6 厘米

最大足径 6.2 厘米　重 484 克

**Cup with hunting scene**

Early Qing dynasty

Height 13.5 cm

Diameter of mouth (maximum) 16.6 cm

Diameter of foot (maximum) 6.2 cm

Weight 484g

敞口，敛腹，足中空，微外撇。通体浮雕林木苍郁，溪涧湍急，烟霭蔽日，并镂雕树木山石成杯柄式。出猎人物贯穿于景物间，二人一组，分别出现于杯流下及两侧，可视作一队列，也可视作行进、寻找、捕猎的过程。其中刻画特别精彩的是捕猎场景。一猎手纵马舞矛于前，一猎手驾鸢高呼在后，以点带面，山石后似有千军万马，蓄势待发，留予观者联想。马前亦只一兔狂奔，一虎乱窜，却已将出猎的壮阔场景很好地渲染了出来。

工艺中出现的这类表现少数民族狩猎的题材，很可能是根据流行的小说戏曲中的插图演化而来，不一定是写实的描绘，而此杯无疑是同类作品中的佼佼者。

此杯为清宫旧藏，有清室善后委员会接收宫内文物时所编千字文号：丽字九八九号，查《故宫物品点查报告》第二编第九册卷五可知当时收贮于古董房，点查时间是民国十四年（1925 年）八月十四日上午，记录在一木架上第 3 号下，为"大小犀角杯二三个"中第 19 个。

## 54. 犀角柳荫放马图杯

清早期

高 9.7 厘米　最大口径 14.6 厘米

最大底径 4.8 厘米　重 320.5 克

**Cup with horse and willow design**
Early Qing dynasty
Height 9.7 cm
Diameter of mouth (maximum) 14.6 cm
Diameter of bottom (maximum) 4.8 cm
Weight 320.5g

杯敞口，敛底，外壁浮雕二人于溪岸上，一立一坐，立者手执柳条，坐者手挽衣袖，目光所聚，为一健马，欢然翻滚于草丛中。情景历历如在眼前。又浮雕岩石林立，形成杯耳，树枝轻扬，直入杯口之内。下有溪水潺潺，流转如丝。此杯高浮雕技法十分纯熟，风格亦清新明快，并为同类题材犀角雕中所仅见，更显珍贵。

此器为孙瀛洲先生捐赠。

## 55. 犀角松舟高逸图杯

清早期

高 13.6 厘米  最大口径 16.5 厘米

最大底径 5 厘米  重 368.3 克

**Cup with scene of lofty man
in landscape**

Early Qing dynasty

Height 13.6 cm

Diameter of mouth (maximum) 16.5 cm

Diameter of bottom (maximum) 5 cm

Weight 368.3g

杯敞口，流部稍低，口沿呈 m 状曲线，相对一侧双股杯柄由镂雕松柏构成。外壁纹饰以腰部为界，上半山崖壁立，怪石横生，林木疏朗，为烟岚所掩；下半以水纹为主，上下泾渭分明，一小舟自崖岸间将出未出，文士坐于舟头，意态悠闲，如有会心。面前立一古瓶，插莲荷之属。构图完整，浮雕工艺精良，层次丰富，水纹最浅，树木较高，营造出重叠幽杳一望不尽的气象。

此器为孙瀛洲先生捐赠。

## 56. 犀角高士图杯

<u>清早期</u>

<u>高 7.4 厘米　最大口径 13.4 厘米</u>

<u>最大底径 4.7 厘米　重 189.1 克</u>

**Cup with scene of lofty scholars**

<u>Early Qing dynasty</u>

Height 7.4 cm

Diameter of mouth (maximum) 13.4 cm

Diameter of bottom (maximum) 4.7 cm

Weight 189.1g

杯作常见之敞口小底型，外壁高浮雕庭园人物，景物由松树、芭蕉、湖石组成，并衬以流动的烟霭，颇具闲适浪漫的格调，而人物场景为一华服老者坐于椅中，面前二人展开卷轴，一人正执笔作书，文字用阴刻表现："天以清，地以宁，诞生伊傅秉钧衡，万类贺升平。"一小童托幞头立于松下。若依杯底阴刻楷书杜甫《饮中八仙歌》诗句"脱帽露顶王公前，挥毫落纸如云烟"，则纹饰描绘的应是唐代书法家张旭挥翰骋艺的情景。不过，我们似乎也不必要求这类纹饰与历史细节若合符节，实际上它所传达的文化内涵及显现出的装饰效果能为器物增色，已达到创作者的目的。杯底诗句后有去地阳文篆书"尤侃"方印。

此器为香港收藏家叶义先生捐赠。

## 57. 犀角仕女图杯

<u>清早期</u>

<u>高 11 厘米　最大口径 16.7 厘米</u>

<u>最大底径 4.6 厘米</u>

**Cup with ladies against rocky landscape**

<u>Early Qing dynasty</u>

Height 11 cm

Diameter of mouth (maximum) 16.7 cm

Diameter of bottom (maximum) 4.6 cm

杯敞口，敛腹，小底，外壁高浮雕及镂雕的纹饰宛如画卷，徐徐铺陈，有条不紊。山岩松柏，石梁流泉，仕女优游于山水间。景物层次丰富，繁而不乱，人物虽小，却神态可掬。雕刻工艺严谨而精细。底有篆书"直生"、"尤侃"连珠印章款。又配嵌银丝镂花木座，并有"雪庵藏"等字样。

此器为 1959 年收购。

## 58. 犀角筌鱼图杯

清早期

高 9.2 厘米　最大口径 17.8 厘米

最大底径 5.8 厘米　重 396 克

**Cup with fishing scene**

Early Qing dynasty

Height 9.2 cm

Diameter of mouth (maximum) 17.8 cm

Diameter of bottom (maximum) 5.8 cm

Weight 396g

　　外形为常见之犀角杯形, 装饰主题为山水人物图景。纹饰环绕布满器身, 如画卷般, 以山水为背景, 分作上中下三部, 两岸岩壁差互, 树木丛生, 水流蜿蜒其间。小舟泊于荫下, 只露其半, 似随流浮动, 渔人俯身持筌, 于水中兜鱼。纹饰吸收传统山水画散点透视的构图方法, 将山岩、水流、小船、人物等不同景物, 通过不同视角截取典型组织在同一画面里, 表现出极富韵味的意境。浮雕层次丰富, 局部变化多样, 特别是杯柄上部的云气, 圆润柔腻, 质感强烈, 色泽亦与杯身染色有所区别, 带有巧雕的意匠, 显露出材质的天然美感。

　　外壁岩石空处阳刻一圆一方"直生"、"尤侃"篆书连珠印二。

　　此器为香港收藏家叶义先生捐赠。

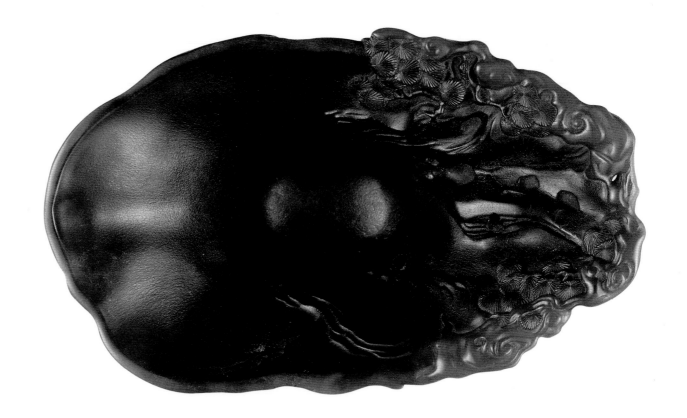

## 59. 犀角太白醉酒图杯

清早期

高 9 厘米  最大口径 14.1 厘米

最大底径 5 厘米  重 302.1 克

**Cup with scene of *Taibai* in drink**

Early Qing dynasty

Height 9 cm

Diameter of mouth (maximum) 14.1 cm

Diameter of bottom (maximum) 5 cm

Weight 302.1g

随形，敞口，杯侧镂雕古松为柄式。松干
虬劲，古藤依倚盘绕，垂吊而下，松枝伸入杯
口之内，与之相对的流部一侧又镂雕螭纹一。
杯外壁上部高浮雕山岩倒挂，下凹成室。石
台上斜身侧坐一长髯儒士，左手抚膝，右手执
蒲扇，如被二酒瓮中酒香所诱，神态生动。其
身前有杯碟及笔砚纸墨等，或许刻画的正是
"李白斗酒诗百篇"的风雅故事。

杯底刻有阴文"方宏斋制"篆体长方印。
文献中曾记载一位清代治犀家名方弘，不知
是否与此杯有关。

此器为香港收藏家叶义先生捐赠。

## 60. 犀角赏菊图杯

清早期

高 9.1 厘米　最大口径 15.4 厘米

最大底径 5.7 厘米　重 327.7 克

**Cup with scene of chrysanthemum appreciation**

Early Qing dynasty

Height 9.1 cm

Diameter of mouth (maximum) 15.4 cm

Diameter of bottom (maximum) 5.7 cm

Weight 327.7g

杯表深红中多斑驳，古色古香。口外壁如倒悬的峰岩，并浮雕松树流泉，松下一老者席地而坐，身边一丛秋菊依岩而生。镂雕古松为柄，松枝伸入杯口内。

此杯造型端庄浑朴，纹饰简洁。其通景式布局，画意十分浓厚。杯里山壁的沟壑，直入杯底。又雕刻溪流，使内外纹饰呼应。

此器为香港收藏家叶义先生捐赠。

## 61. 犀角赤壁泛舟图杯

清早期

高 10 厘米　最大口径 16.7 厘米

最大底径 4.6 厘米　重 256.7 克

**Cup with scene inspired by Ode on the Red Cliff**

Early Qing dynasty

Height 10 cm

Diameter of mouth (maximum) 16.7 cm

Diameter of bottom (maximum) 4.6 cm

Weight 256.7g

杯敞口，修身，平底，基本保留犀角本形。外壁上部浮雕崖岸木石，下部阴刻水波，近底处高起，与上部呼应。高浮雕并镂雕巨树贯通上下，将三维的夹岸平远图景转化为平面构图，布局巧妙，既有图案式的简洁，又不失画意。水流中一只竹篷船于松石间将出未出，船上四人，其一搦扇煮茗，其余坐于篷内。人虽未刻画眉目，但畅谈之音容如在眼前，非深谙写意之法所不能为。

作品表现的应是北宋神宗元丰五年（1082年）苏轼被贬黄州后夜游赤壁的故事，这次游览因其所作《赤壁赋》而流芳千古，也成为艺术史中的重要题材。

此器为香港收藏家叶义先生捐赠。

## 62. 犀角赤壁泛舟图杯

清早期

高 9.3 厘米　最大口径 14.5 厘米

最大足径 4.4 厘米　重 224.3 克

**Cup with scene inspired by Ode on the Red Cliff**

Early Qing dynasty
Height 9.3 cm
Diameter of mouth (maximum) 14.5 cm
Diameter of foot (maximum) 4.4 cm
Weight 224.3g

　　敞口，足微侈，底中空内凹。外壁浅浮雕山岩波涌，水、岸将纹饰分作上下二部，夹岸生树，沟通其间。一篷船自松荫下荡出，船家立于后梢，持篙入水，篷内三人似正剧谈。人物虽未刻画眉目，却意态宛然，可称稔悉写意精神。水纹以 S 形阴线与新月形曲线结合来表现，与前作相似，很有特点。镂雕松树一株与多孔岩石共同构成杯柄式样，松枝伸入口内，内壁浮雕岩壁裂隙以为呼应。

　　此器为孙瀛洲先生捐赠。

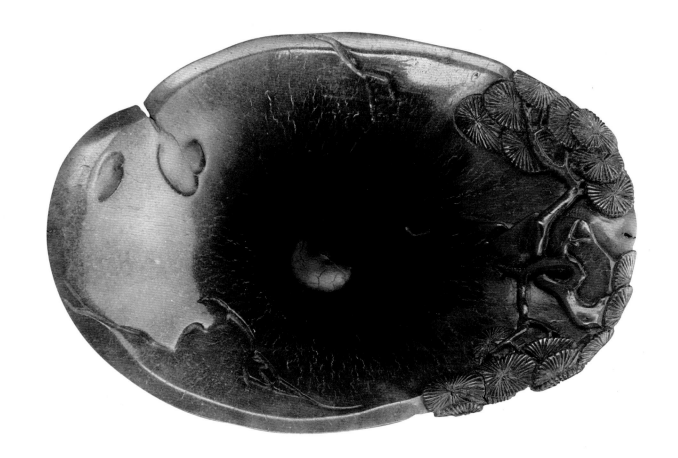

## 63. 犀角隐逸图杯

清早期

高 9 厘米　最大口径 13.7 厘米

最大足径 4.3 厘米　重 226.8 克

**Cup with scene of recluses**

**in landscape**

Early Qing dynasty

Height 9 cm

Diameter of mouth (maximum) 13.7 cm

Diameter of foot (maximum) 4.3 cm

Weight 226.8g

根据材料形状，杯口开敞较大而微内卷，杯身纤瘦，底足内凹。外壁浮雕山林景色，上部山岩起伏，层叠相压，似山峦平远，近足处溪流隐现，崖岸边松柏秀发，二隐者徜徉其间。其一扬手指点，其一倚树斜坐。二人分处杯体两侧，隐隐似有呼应。人物面目模糊，而神态俨然，是吸收了山水题材画作中的写意手段。镂雕二松树，斜斜向上，枝叶直入杯口，如双柄式样。内壁亦刻岩石相叠。

此杯染色沉穆，雕刻不求精密而强调画意与韵味，在以山水人物为主题的犀角杯中亦不失为别具一格的作品。

此器为香港收藏家叶义先生捐赠。

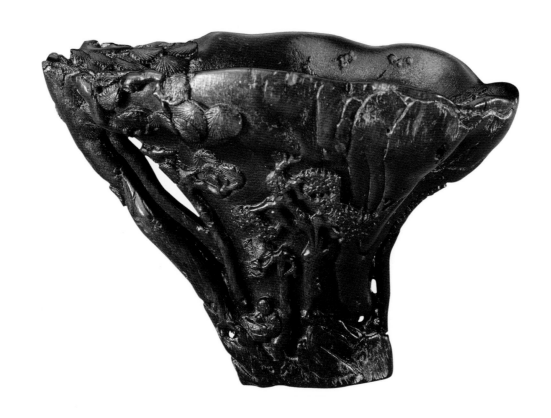

## 64. 犀角人物故事图杯

清早期

高 12.8 厘米　最大口径 16.8 厘米

最大底径 5.6 厘米　重 413.7 克

**Cup with figures and landscape**

Early Qing dynasty

Height 12.8 cm

Diameter of mouth (maximum) 16.8 cm

Diameter of bottom (maximum) 5.6 cm

Weight 413.7g

杯形依原角设计，较高，腰部有明显弧曲。底挖空后填。染色温润深沉，纹理细腻。镂雕松树和梧桐为杯柄式。通体雕作岩石凹凸状，松荫梧桐伸延至杯体侧面，其下分别描绘一老者攘臂搅动鼎镬汤水及二女针黹的场景，动态准确，主次分明。画面内容待考。其雕刻特点与同时期的竹雕风格有相类之处，可以相互参照。

此器为香港收藏家叶义先生捐赠。

## 65. 犀角涉水图杯

清早期

高 10.8 厘米　最大口径 16.1 厘米

最大底径 5.3 厘米　重 331.6 克

**Cup with scene of three men crossing
the water**
Early Qing dynasty
Height 10.8 cm
Diameter of mouth (maximum) 16.1 cm
Diameter of bottom (maximum) 5.3 cm
Weight 331.6g

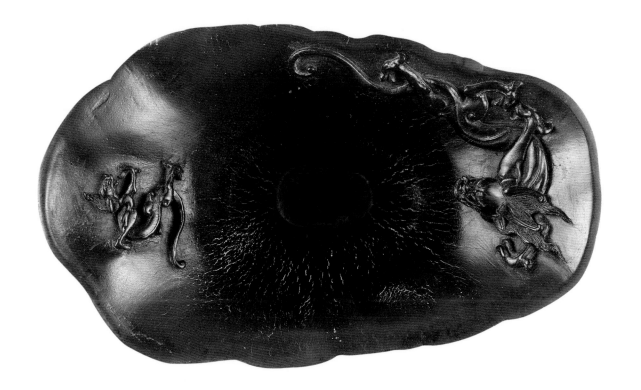

　　为典型敞口小底犀角杯形，染色深沉。
外壁以浮雕技法为主，表现山泉流泻，下聚成
溪、松、柏、桐、枫等树木挺立岸边。三人
正涉水而过，一小童将包裹放下，手持树枝回
身牵引行至水中的老者，而对面一男子俯身
挽起裤脚似正欲下水，动态生动准确，饶有趣
味。镂雕松树树干及山石，保留双股柄的式样。
口沿内相向浮雕一大一小二螭，是犀雕作品
上经常出现的装饰题材，与外壁纹饰所追求
的画意也相映成趣。

　　此器为香港收藏家叶义先生捐赠。

## 66. 犀角山林雅叙图杯

清早期

高 17.6 厘米　最大口径 17.8 厘米

最大底径 7.4 厘米　重 683 克

**Cup with scene of Literary Gathering**

Early Qing dynasty

Height 17.6 cm

Diameter of mouth (maximum) 17.8 cm

Diameter of bottom (maximum) 7.4 cm

Weight 683g

　　杯形较高，口部前倾，后填底。色泽金黄莹润，材质极佳。外壁雕刻山林景象，纹饰多达数层，口底浮雕山岩高起，树木稍低，而水纹则降至平面，故虽满密而主次清晰。杯体一侧崖岸上，二老者相向对谈，恬淡闲逸，一小童于托书函，立于其后。另一侧树木参天，双鹿对鹤，悠游其间。镂雕双树呈柄式，枝叶伸展，形成复杂的镂空效果。在整体纹饰中，作为主题的人物、动物的比例较树木等景物为大，似欲借此表现远近透视关系，是一种颇具匠心的设计。

　　此器为香港收藏家叶义先生捐赠。

## 67. 犀角田园人物图杯

清早期

高 9.5 厘米  最大口径 13.1 厘米

最大底径 5.1 厘米  重 422 克

**Cup with rural scenery**

Early Qing dynasty

Height 9.5 cm

Diameter of mouth (maximum) 13.1 cm

Diameter of bottom (maximum) 5.1 cm

Weight 422g

杯体厚重，杯内较浅，口部略开敞，近椭圆形，内壁浅浮雕云气缭绕，中一螭隐现半身，浮雕较高，是在很小的限度内区分出层次，亦不失图案化的装饰趣味。相对一端口沿作内陷连弧形，其外壁垂直向下，似山壁裂罅状，又雕刻泉水倾泻，至底部汇聚成涡，水纹以极细的阴刻线表现，细腻流畅。裂罅两侧镂雕巉岩怪石，松柏挺立，并依次延伸显现田园景物。杯体一侧浮雕二人擎伞戴笠，拾级而上；另一侧浮雕担柴农夫、牧牛童子，错落布排于岩石上下。而以镂雕山石为界，忽然浮雕出云雾蒸腾，中垂柳楼台隐约；镂雕苍龙，张牙舞爪，正追逐火珠。云龙图案，似奇峰突起，增添了纹饰整体的浪漫气息。

器底磨出方形框，似为刻款所留。

此器为香港收藏家叶义先生捐赠。

## 68. 犀角三婴攀桂图杯

清早期

高 10 厘米 最大口径 17.4 厘米

最大底径 5.4 厘米 重 331 克

**Cup with scene of three boys
climbing bay tree**
Early Qing dynasty
Height 10 cm
Diameter of mouth (maximum) 17.4 cm
Diameter of bottom (maximum) 5.4 cm
Weight 331g

口部开敞较大，杯身瘦长，平底。内外壁打磨润泽，一任光素，唯局部有细微的自然凹凸，似写意山岩状。杯耳处镂雕桂树一株，生于石隙中，有童子三人攀爬其上。题材并不复杂，刻画却颇费经营。一童位置最高，蹲踞树干之上，一手揽抱，一手伸出，拉住下面同伴。而下面的小童，背向立，脸面扬起，只见头顶，双手高举，足部猛蹬，奋力向上。另一童从旁侧枝干间探首而出，伸手抓住主干，

似正招呼。三小童姿势各异，配合细腻的衣纹，人物的动态呼之欲出。位置的布排约呈品字型，虽有远近之别，但相互间都具呼应，加之树枝处理巧妙，因此从各个角度观看，效果都有不同。与大片的留白，又形成实与虚、动与静的多重对比关系，正可显示其深谙画理的设计意匠。

此器为香港收藏家叶义先生捐赠。

## 69. 犀角西园雅集图杯

清乾隆

高 15.8 厘米　最大口径 19.2 厘米

最大底径 5.6 厘米　重 537.4 克

**Cup with scene inspired by
Literary Gathering at the West Garden**
Qianlong reign, Qing dynasty
Height 15.8 cm
Diameter of mouth (maximum) 19.2 cm
Diameter of bottom (maximum) 5.6 cm
Weight 537.4g

杯敞口，小底，是比较多见的犀雕形制。外壁雕山水人物为饰。人物共 22 个，除去童子、侍女外，主要人物 16 个，或对谈，或作书，或题壁，或观看，情态各异，僧俗不一，以文士为多，表现的应是切磋艺事、诗酒唱和的雅集活动。人物布置在杯身两侧的上部，而下部则浮雕树木、溪流与石桥等景物，且愈向上纹饰浮雕突起高度愈高，某些局部还配合镂雕，层次也愈加复杂，主次轻重十分明确。又镂雕山石树木为柄的式样。在流的内壁阴刻楷书御制诗句："西园雅宴集名流，十有六人为倡酬。米记李图艺恰称，儒冠墨客意相投。桃园太白金谷例，锡县尤通玉斧锼。照世宁须事燃角，良工数典有佳谋。"及"乾隆己酉御题"并"古香"篆文印章。杯外底刻阴文篆书"大清乾隆仿古"款识。

按己酉为乾隆五十四年（1789 年），查该

诗收入《御制诗集》五集卷八十四，为癸丑年（1793 年）所作诗之最后一卷，器物上之纪年与诗集之编年相差如此之久的情况尚属罕见。集中原题作《题镂角西园雅集杯》，颔联下有自注："《无锡县志》载明尤通以善制犀角饮器得名，内府旧有尔所作乘槎式犀角杯，雕镂精巧，适安南国王阮光平所贡大犀角，即命仿此杯为之。"揣摩其意可知诗本为另一件有尤通款之"西园雅集杯"所作，此器仿其制而成，将题诗也一并挪用，这是否是造成纪年差之原因，还需细考。

而西园雅集之事指的是北宋时驸马都尉王诜于家中西园组织聚会，与会者包括苏轼、苏辙、黄庭坚、秦观、张耒、晃补之、米芾、李之仪、李公麟、蔡肇、郑靖老、王钦臣、刘泾及高僧圆通、道士陈碧虚等，均是一时之选，众人提议由米芾作文，李公麟作画，且名之为"西园雅集图"。这是历史上著名的文人集会，对后世影响很大，是艺术创作中经常表现的一个典故。在犀雕工艺中，它与竹林七贤、兰亭修禊等都是作为山水人物题材的一种模式而出现。

此杯为清宫旧藏，有清室善后委员会接收宫内文物时所编千字文号：调字一五四号，查《故宫物品点查报告》第二编第四册可知当时收贮于钟粹宫，点查时间是民国十四年（1925 年）四月十四日下午，记录在一硬木大橱柜内第 50 号下，正是"大小犀角花插三个（内一有乾隆御题）"中带御题的那件。

## 70. 犀角瀛台仙境图杯

清中期

高 14.3 厘米　最大口径 19.8 厘米

最大底径 6.4 厘米　重 357.2 克

**Cup with scene inspired by Adding Chips in a House by the Sea**

Middle Qing dynasty

Height 14.3 cm

Diameter of mouth (maximum) 19.8 cm

Diameter of bottom (maximum) 6.4 cm

Weight 357.2g

　　杯敞口敛足，流部弧线较大。口内壁满雕云龙纹，外壁纹饰以浮雕为主，又灵活运用了镂雕、粘贴、钻孔等工艺，刻画纤细入微。表现海岛仙山，云蒸霞蔚，怪石险径，林木蓊郁，湍流飞瀑，奇花瑞，白鹤悠然，琼楼玉宇掩映其间，各色仙侣访客络绎不绝。杯侧镂雕的枝干，贯通上下，既表现了仙山松柏的参天姿态，又巧妙地保留了柄的形制。

　　此器色泽深沉，纹理细密，质料极佳。在平面上刻画建筑的透视效果，深具界画意味。而其纹饰繁缛，不留隙地，表现出一定的时代特征。

　　此杯为清宫旧藏，有清室善后委员会接收宫中文物时所编千字文号：调字一五四号，查《故宫物品点查报告》第二编第四册可知当时收贮于钟粹宫，点查时间是民国十四年（1925 年）四月十四日下午，记录在一硬木大橱柜内第 50 号下，正是"大小犀角花插三个（内一有乾隆御题）"之一。

## 71. 犀角婴戏图杯

清中期

高 10 厘米　最大口径 15.1 厘米

最大底径 3.8 厘米　重 184.2 克

**Cup with scene of boys playing
among the trees**

Middle Qing dynasty

Height 10 cm

Diameter of mouth (maximum) 15.1 cm

Diameter of bottom (maximum) 3.8 cm

Weight 184.2g

　　敞口，修身，平底。外壁以高浮雕及镂雕
技法表现山水林木间的儿童嬉戏场景。共雕
人物 13 个，分作数组，或捉鱼，或爬树，或背
负，或旁观等，刻画虽略嫌程式化，但动态传
达却准确细腻，连手中玩具等细节亦刻画清
晰。杯侧镂雕有螭大螭一，探首入口，其尾部
化为双股柄式，阴刻几何纹饰，仿古意匠明确。
两侧又浮雕小螭各一，攀缘杯沿，姿态生动。
此器保存不佳，且有残损，但人物、螭纹表现
均颇富特点，亦不失为一件值得参考的作品。

　　此器为周作民先生捐赠。

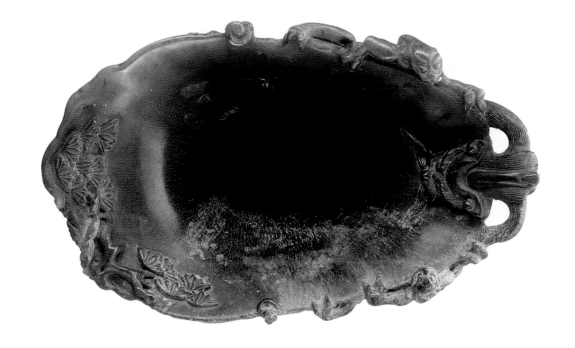

## 72. 犀角芙蓉鸳鸯纹杯

明晚期至清早期

高 8.3 厘米　最大口径 12 厘米

最大底径 4.5 厘米　重 171.5 克

**Cup with cottonrose hibiscus and mandarin duck design**

Later Ming to early Qing dynasty

Height 8.3 cm

Diameter of mouth (maximum) 12 cm

Diameter of bottom (maximum) 4.5 cm

Weight 171.5g

杯形为典型之敞口敛足平底式样。外壁浮雕鸳鸯一对，雄鸟立于水边岸上，雌鸟缩颈偎依在旁，刀法精细入微，神态呼之欲出。镂雕芙蓉、湖石作为衬景，构成双柄状，花枝在有限空间内伸展穿插，极富匠意。雕镂纹饰集中于局部，而杯壁上半琢磨出自然的凹凸，如涯岸般，中部浅刻宛转水波纹，其大面积光素则是此类犀杯中所少见的。杯底刻阳文篆书"直生"、"尤侃"方圆连珠印各一。

此作是目前所见带有"尤侃"款识的犀角杯中艺术水准较高的一件。起伏微妙的水纹、工致谨严的翎毛、意蕴丰满的留白及空间灵活的镂雕，都使之更近于一幅雅洁的花鸟画，很好地提升了它的品位与格调。

此器为香港收藏家叶义先生捐赠。

## 73. 犀角葡萄鸡纹杯

明晚期至清早期

高 5.7 厘米　最大口径 13.5 厘米

最大底径 4 厘米　重 141.6 克

**Cup with grape and chicken design**
Later Ming to early Qing dynasty
Height 5.7 cm
Diameter of mouth (maximum) 13.5 cm
Diameter of bottom (maximum) 4 cm
Weight 141.6g

杯敞口，敛腹，平底。外壁浮雕雌雄鸡各一并鸡雏五，一侧雄鸡毛羽俨然，俯首似相顾问，另一侧雌鸡伏身，雏鸡跃其背上，两侧纹饰既对称又有呼应，群鸡动作、神态各不相同，父子间亲近却保持距离、母子间依恋而近于狎昵的状态刻画得尤为精彩。背景琢磨圆润，凹凸自然，以几个线条、孔洞作为山岩的示意，杯柄部分浮凸出棱角，配合镂雕葡萄藤蔓、果实，满足形制要求且不失为很好的辅助装

饰。岩石及葡萄纹延伸至口内，口沿处理精整细腻。外底一角刻剔地阳文"直生"篆书小方印。

依已知实物署款，"直生"当为尤侃之字号。子母鸡纹为传统吉祥纹饰的一种，含有祈愿家族繁衍、家庭和睦之意，以成化斗彩鸡缸杯所饰最为典型。葡萄亦为多子之象征，两相配合，颇为切题。从纹饰题材来看，此杯或许有特殊的意义和用途。

## 74. 犀角海水云龙纹杯

清早期

高 7.8 厘米　最大口径 14.3 厘米

最大底径 5 厘米　重 255.6 克

**Cup with wave, cloud and dragon design**

Early Qing dynasty

Height 7.8 cm

Diameter of mouth (maximum) 14.3 cm

Diameter of bottom (maximum) 5 cm

Weight 255.6g

杯经染色而成。敞口平底，外壁上下浮雕崖岸岩石，中为海水。水纹细腻流转，富于装饰性，夹岸巨石，错落有致，其留白处恰成映衬。水激石边，浪花翻卷，雕刻精细。近杯柄处雕镂云纹，一龙隐现其间，龙首探入口内。杯内底亦镂雕一小龙，四足撑于壁上，正与构成杯柄之大龙相互呼应。

杯的外壁柱石上阴刻篆书"尚卿"款识。据《中国犀角雕刻艺术》（The Art Rhinoceros Horn Carving in China）载英国杜伦大学东方博物馆藏犀角雕山水图杯上有"袁尚卿"款[注1]，应即同一人。其生平待考。依云龙形象来看，器物制作年代划在清早期似较为合宜。

此器为香港收藏家叶义先生捐赠。

注 1：参 J.Chapman 所编之 The Art Rhinoceros Horn Carving in China, p141, London: Christie's, 1999.

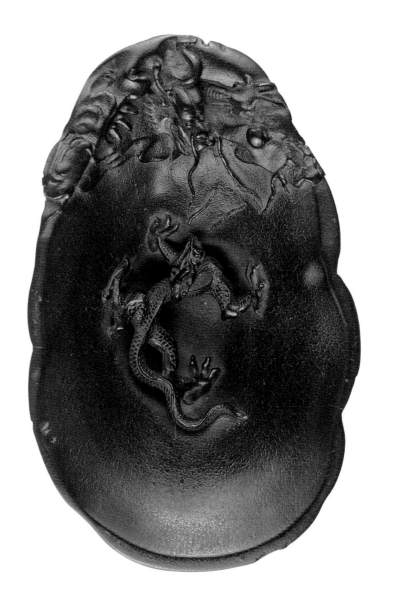

## 75. 犀角双螭戏水纹杯

清早期

高 14.5 厘米  最大口径 18.6 厘米

最大底径 5.2 厘米  重 473.3 克

**Cup with design of *Chi*-dragons frolicking in water**

Early Qing dynasty

Height 14.5 cm

Diameter of mouth (maximum) 18.6 cm

Diameter of bottom (maximum) 5.2 cm

Weight 473.3g

杯体较大，敞口，修身，平底。装饰布满器身，以浮雕为主，适当运用镂雕，表现巉岩险峭，海水翻滚，杯流下一大螭穿行于岩穴间，似正吸入水流；正对其下，一小螭似欲跃出水面，弓背作势，镂雕而成，颇为巧妙。而波浪翻卷成的图案，亦很有装饰效果。镂雕双松为柄式，自腰部斜伸而出，并未贯通口、底，是比较富于特点之处。松轮成荫，直入口内，内壁亦浅浮雕山石隙洞。外底雕海水旋涡，极为周到。

此器为周作民先生捐赠。

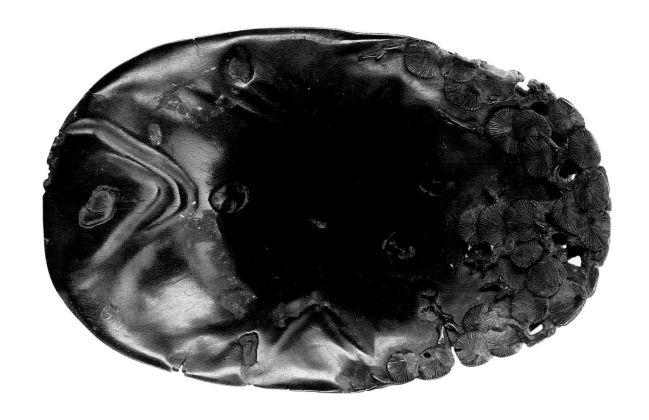

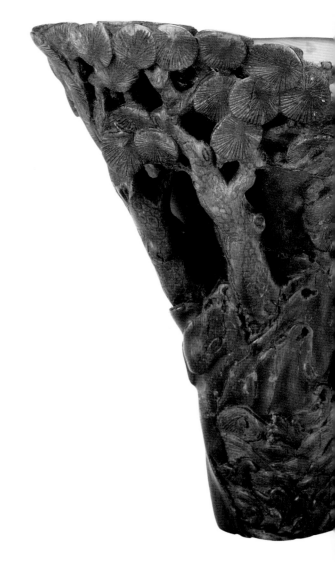

## 76. 犀角云蝠海水纹杯

清早期

高 11.1 厘米　最大口径 14.4 厘米

最大底径 5.9 厘米　重 351.7 克

**Cup with bat, cloud and wave design**

Early Qing dynasty

Height 11.1 cm

Diameter of mouth (maximum) 14.4 cm

Diameter of bottom (maximum) 5.9 cm

Weight 351.7g

　　杯随形，敞口敛足。口沿打磨极薄，呈不规则连弧状。外壁通体浅浮雕海水云气，波纹细如发丝，于规律中又含交接、叠压的变化，显现出不平静的运动状态。海浪仿佛花束一般，每一组均各具姿态，尤其是与近足处似与礁石碰撞，缤纷飞溅，妙不可言。杯口内云纹上雕蝙蝠，点明吉祥寓意。此器虽略有侵蚀，但立意新颖，运刀如笔，实属难能可贵。

　　杯有"逾字一八九"编号。"逾字"为点查后新发现文物的补号之一，依记录，原应藏延庆殿。

## 77. 犀角水兽纹杯

清早期至清中期

高 9.5 厘米　最大口径 16.2 厘米

最大底径 5 厘米　重 366 克

**Cup with mythical beasts in paradise**

Early Qing to middle Qing dynasty

Height 9.5 cm

Diameter of mouth (maximum) 16.2 cm

Diameter of bottom (maximum) 5 cm

Weight 366g

杯随角形，器身低矮，起伏自如，口部开敞较大，线条不规则。外壁以高浮雕技法，表现浪涛翻卷中，八种水族隐现，除状似龟、牛、蟾、螺之物外，尚有大蚌吐出云雾蜃楼，其余鳞甲完具、翅角分明者，莫可名状。另有一鸟喙小螭于云中游弋，一大螭攀附杯沿，身斜出而头伸入杯内，恰符杯柄之形。口内雕刻云纹，与外沿纹饰相呼应。

此杯构思新颖，而敷演的正是温峤"燃犀照渚"的典故，是极为切合材质本身文化内涵的一个题材，又与当时工艺中的"海八怪"瑞兽纹接近，从而具有了吉祥寓意。纹饰的设计富于浪漫气息，加之染色深沉，更显瑰奇。其风格于满密中不失大气，是一件很有特点的犀雕作品。

此器为香港收藏家叶义先生捐赠。

## 78. 犀角海水螭纹杯

清早期至清中期

高 12 厘米　最大口径 16.4 厘米

最大底径 5.4 厘米　重 393.3 克

**Cup with wave and *Chi*-dragon design**
Early Qing to middle Qing dynasty
Height 12 cm
Diameter of mouth (maximum) 16.4 cm
Diameter of bottom (maximum) 5.4 cm
Weight 393.3g

　　杯口沿连弧状，内饰云纹一周，每一弧凸均呈如意云式。外沿变化为高浮雕团块，中有孔洞，似云气流动凝聚，十分奇特。器身下部为海浪翻卷，水纹成束，浪花如指，富于图案化美感。主体纹饰为螭纹，除去云端、海水中隐现者外，杯中部浮雕三条，姿态各异。一条大螭自下而上探首杯口之内，前足踞于沿边，后足踏于浪上，恰成杯柄形式，而其尾部甩出，与水纹、云气组成另一股柄状，颇为巧妙。大螭独角方吻，披发瞪目，神态威猛，而口内相对处，还浮雕一扭曲小螭。这一类以大小螭纹为主题的装饰，在犀角雕刻中非常多见，大抵都是宋明以来工艺中常见的"教子升天"题材的变体，含有浓厚的吉祥寓意。器表染色深沉，浮雕精巧，纹饰立体感突出，却不以层次繁多为胜，相互间各不相扰，中间留有隙地，琢磨平滑，是其最不同一般之处。

　　此器为香港收藏家叶义先生捐赠。

## 79. 犀角蟠螭戏水纹荷叶形杯

清早期至清中期

高 8.9 厘米　最大口径 16.4 厘米

最大底径 4.4 厘米　重 272.9 克

**Cup in the form of lotus leaf with design of
*Chi*-dragons frolicking in water**
Early Qing to middle Qing dynasty
Height 8.9 cm
Diameter of mouth (maximum) 16.4 cm
Diameter of bottom (maximum) 4.4 cm
Weight 272.9g

　　雕作一枚荷叶收拢如斗式，叶缘向内外侧交错翻卷，极富节奏韵律。内壁光素，与外壁阴刻双钩叶脉无呼应，是此杯不同一般之处。下部浮雕浪花翻滚，水纹由细密的平行阳线组成鳞片状的半圆，相互叠压，图案化的处理，很有装饰意味。上部高浮雕三条螭纹，辗转扭曲，动感十足。杯柄以二螭构成，一斜向上，双臂攀杯缘，头伸入口内。另一以尾悬其臂上，向下探身回首，神态自然。双螭的设计既符合杯柄的结构要求，又不显刻意，无疑是器物的点睛之笔。

　　此器为香港收藏家叶义先生捐赠。

## 80. 犀角蟠螭戏水纹荷叶形杯

清早期至清中期

高 8.9 厘米　最大口径 13.1 厘米

最大底径 4.2 厘米　重 192.2 克

**Cup in the form of lotus leaf with design of
*Chi*-dragons frolicking in water**

Early Qing to middle Qing dynasty

Height 8.9 cm

Diameter of mouth (maximum) 13.1 cm

Diameter of bottom (maximum) 4.2 cm

Weight 192.2g

　　器表明暗斑驳，古色古香。作荷叶收拢
成杯式，器壁厚薄适中，雕出自然的凸凹，口
部因而呈现不规则弧曲，边沿微内卷。内底
阴刻环形叶芯，以之为圆心，饰放射状叶脉。
外壁叶脉则由双钩夫地阳文表现，在犀杯中
刻画荷叶筋脉时所多用，即前述"双阴挤线"
之法，视觉效果有阴阳莫辨之感，极富装饰性。
下部浮雕水浪纹，立体感甚强，如发绺般聚合
成束，分两层向相反方向涌动，在外底汇为旋
涡。此杯与别作不同之处在于柄的部位，仅
浮雕一螭自水波中弯身似欲上爬，头尾处局
部施镂雕，却并未令其探首于杯内，口内相应
处则雕镂一小螭曲体回首而已，将完整的杯
柄分为两部分，装饰意味更趋浓厚，而吉祥含
义并无二致。

　　此器为香港收藏家叶义先生捐赠。

## 81. 犀角海水云龙纹杯

清康熙至清雍正

高 11.2 厘米　最大口径 16 厘米

最大足径 6 厘米　重 439.5 克

**Cup with wave, cloud and dragon design**

Kangxi to Yongzheng reign, Qing dynasty

Height 11.2 cm

Diameter of mouth (maximum) 16 cm

Diameter of foot (maximum) 6 cm

Weight 439.5g

　　杯身略显高瘦，外壁及口内浮雕云雾蒸腾之中游龙戏珠纹饰。雕刻细腻入微，龙纹雍容威严，具有典型的时代特征。磨工尤其令人称道，刀痕泯然，云气积聚，凝成膏冻状团块，极好地凸显了材质本身的特性与美感。又镂雕云龙贯通上下为杯柄式样。以龙纹而言，此杯有明显的宫廷风格。

　　这件器物为香港收藏家叶义先生捐赠。

## 82. 犀角九龙纹杯

清乾隆

高 21.3 厘米　最大口径 19.5 厘米

最大底径 7.3 厘米

**Cup with nine dragons design**

Qianlong reign, Qing dynasty

Height 21.3 cm

Diameter of mouth (maximum) 19.5 cm

Diameter of bottom (maximum) 7.3 cm

　　杯依犀角自然形状雕成，近爵式，敞口，
束腰，底足微撤。外壁满雕云纹，并浮雕九龙
穿梭于云海。其云蒸霞蔚、苍龙隐现的景象，
气势非凡，意境不俗。一侧镂雕云龙缠绕成
双股杯柄式样，纹饰延伸直至杯口之内。角
质莹润，雕工流畅，琢磨光洁，纹饰繁缛，极
富时代特色与宫廷趣味。

　　此杯为清宫旧藏，有清室善后委员会接
收宫中文物时所编千字文号：雨字五八五号，
查《故宫物品点查报告》第三编第三册卷四
可知当时收贮于漱芳斋或重华宫厨房区域，点
查时间是民国十四年（1925 年）五月二十二
日下午，记录为"犀角雕云龙花插一个"。

## 83. 犀角龙虎纹杯

清中期

高 11.9 厘米　最大口径 14.4 厘米

最大底径 5.8 厘米　重 423.4 克

**Cup with dragon and tiger design**
Middle Qing dynasty
Height 11.9 cm
Diameter of mouth (maximum) 14.4 cm
Diameter of bottom (maximum) 5.8 cm
Weight 423.4g

通体色作深红，似经染色处理。杯敞口，小底，基本保留犀角天然形状，仅截去角尖，稍加剪裁，器形稳重大方。外壁以高浮雕及镂雕技法进行装饰。一面浮雕波涛汹涌，云水冲天而起，一龙凸睛阔口，须发戟张，肩带火焰，探身将出；另一面浮雕崖岸边，一虎弓身露齿，尾举如鞭，肌肉紧绷，作势欲扑，二兽相峙，张力十足。其一踞上角，其一占下边，

构图也十分讲究。题材虽非写实，处理却颇生动。杯柄以镂雕的山岩松树组成，松枝一直伸入杯口。

此器为香港收藏家叶义先生捐赠。

## 84. 犀角九螭纹尖底杯

清

高 20 厘米　最大口径 14 厘米　重 606 克

**Cup with nine *Chi*-dragons**

Qing dynasty

Height 20 cm

Diameter of mouth (maximum) 14 cm

Weight 606g

　　保留原角形，打磨较光润，但内外壁不平整，有较多沟回，色泽亦显现深浅差异，形成斑驳陆离的效果。器表纹理稍粗，似模仿山岩状，外壁浮雕 9 条螭龙，攀爬缠绕，动感十足。可分为两组，一组环围杯口下，共 6 条，姿态多为横向，唯一螭长尾贯通上下，与另一组相联。另一组 3 条，置于杯身下部，成波浪式布排。杯体粗壮，纹饰疏放有力，在局部雕琢上不求精细，却也生机勃勃，别具风味。

　　此器为香港收藏家叶义先生捐赠。

## 85. 犀角鹿形杯

清

高 7.1 厘米　最大口径 9.8 厘米

重 164.4 克

**Deer-shaped cup**

Qing dynasty

Height 7.1 cm

Diameter of mouth (maximum) 9.8 cm

Weight 164.4g

杯圆体，壁稍厚，口沿一周磨平。倒置则呈一鹿形，首尾相环，以一条凸棱线表示脊柱，为适应杯形而进行了适当合并简化，其头颈为杯足，额头为杯底，处处都显示出构思的精巧。花鹿的面部形象准确，眼、耳、口、鼻等部位以浮雕及阴刻来表现，下颌、鹿角、口衔树枝则以镂雕为主，颈部以阴刻法刻划细密的茸毛，花斑与尾部也用写意的阴文处理，而伏卧状态的四肢仅以浮雕表现前后各一，足以传达其身体结构。此杯造型出人意表，装饰匠心独运，是一件高明的陈设赏玩器物，在传世的犀角雕刻中也是极为鲜见的作品。

此器为香港收藏家叶义先生捐赠。

## 86. 犀角鸟形杯

清

高 5.4 厘米　最大口径 10.3 厘米

最大足径 3.5 厘米　重 73.1 克

**Bird-shaped cup**

Qing dynasty

Height 5.4 cm

Diameter of mouth (maximum) 10.3 cm

Diameter of foot (maximum) 3.5 cm

Weight 73.1g

杯呈斗型，俯视口部近椭圆，一端稍窄，为流，一端稍阔，是尾。口沿外撇，内壁可见一条明显折棱与身分开。外壁纹饰以浅浮雕为主，内容初看不可索解，但如将杯体翻转，则一望即知整体为一鸟形，眼、喙、翎、羽分明，头部为底足，冠为足尖。为适应杯形，姿态呈敛翅耸肩状，尾部成流。描摹写意，出人意表。鸟嘴中叼一修尾异兽，身躯细长，弯扭蠕动，如正挣扎。

旧时民俗中有所谓"五毒"之说，把蝎、蛇、蜈蚣、蟾蜍、壁虎等作为有害毒虫的代表，而鸡恰是克制五毒的良禽，所以传统中表现鸡啄五毒的场景就成为驱邪避毒的吉祥图案。这里所刻画的奇特纹饰，或许正是此类题材的浪漫化处理。

此器为香港收藏家叶义先生捐赠。

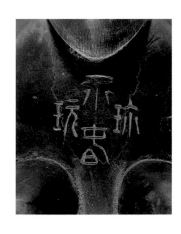

### 87. 犀角勾莲纹爵式杯

明晚期

高 10 厘米　最大口径 14.1 厘米

足距 4.8 厘米 / 3.2 厘米　重 186.9 克

**Cup in *Jue* form with lotus scroll design**

Later Ming dynasty

Height 10 cm

Diameter of mouth (maximum) 14.1 cm

Distance between feet 4.8 cm/3.2cm

Weight　186.9g

器形吸收了商周青铜爵的某些因素，曲线流畅，头大身小，敦实可喜。流尾俱全，微内收，俯视呈束腰葫芦形，圆腹，三花瓣状足，足尖外撇。杯两侧口沿下各浮雕一朵莲花，阴刻筋脉、叶片，流、尾下刻阳文如意金钱纹及灵芝纹，寓意吉祥。底阴刻篆书"永春珍玩"款识。

此杯为清宫旧藏，有清室善后委员会接收宫内文物时所编千字文号：云字九〇〇号，查《故宫物品点查报告》第二编第八册卷一可知当时收贮于如意馆，点查时间是民国十四年（1925 年）八月十四日上午，记录为"犀角杯一个"，与"博古式水碗磁盘等十四件、木座四个"等"共盛一木箱"。

## 88. 犀角螭纹爵式杯

明晚期

高 12.8 厘米　最大口径 14 厘米

足距 8.2 厘米 / 7.5 厘米　重 245.7 克

**Cup in *Jue* form with *Chi*-dragon design**
Later Ming dynasty
Height 12.8 cm
Diameter of mouth (maximum) 14 cm
Distance between feet 8.2 cm/7.5 cm
Weight 245.7g

杯仿古代青铜爵形。口呈长椭圆形，流低而尾高，三扁圆足外弯，流下一足与另两足角度稍有差别，使杯体微向后坐，更趋稳定，也成了此器最引人注目之处。三足的做法，是将角尖分开后，剔除多余之处，经变形处理而制成。杯口沿阴刻回纹，腹部饰锦纹。又镂雕一螭贯通杯体和口边，如錾式。两侧各浮雕一螭，口衔灵芝，伸出杯口，成镂空短柱。口内还浮雕有小螭一。

此杯曾经染色，故表面色泽匀整沉着，加之造型新颖，不落俗套，可以说是仿古铜爵式杯中突出的作品。

杯为清宫旧藏，有清室善后委员会接收宫内文物时所编千字文号：藏字一二七号，查《故宫物品点查报告》第二编第二册可知当时收贮于景仁宫，点查时间是民国十四年（1925年）三月十八日上午，记录在一朱漆木箱内第 6 号下，为"角爵二个"之一。原记录又谓有"金盖金座，盖嵌绿宝石"，今所见实物都无盖、座，可能已经遗失。

## 89. 犀角双联杯

明晚期

高 13.2 厘米

单杯：口长 7 厘米 口宽 5.2 厘米

足长 4.2 厘米 足宽 3.7 厘米

重 526 克

**Nuptial cup with archaistic
decorative pattern**

Later Ming dynasty

Height 13.2 cm

Cup: Length of mouth 7 cm Width of mouth 5.2 cm

Length of foot 4.2 cm Width of foot 3.7 cm

Weight 526g

杯作双联式，单体皆为八棱形，斜直壁，高足。口沿浮雕夔凤纹，双杯之间镂雕一怪鸟与一异兽，身体穿过空隙。鸟兽面有耳，双翅伸展如云，尾羽修长，卷曲于杯体另一侧，异兽被踏于其爪下，头生双角，颈长而弯，前足力撑，身体旋转一周后出现在另一侧。造型独特，装饰诡奇，染色沉暗，古色古香。

明清时期一般把这种器物称为"合卺杯"，而其上装饰的鸟兽则被看作鹰与熊的变体，可以谐音为"英雄"，因此这种双联杯又往往俗称"英雄合卺杯"。所谓合卺，是古代婚礼中的一种仪式，双杯联体，有永不分离之意。这种器物在当时只是仿古作品，并非实用器具，其祖型数见于战国时楚文化及深受楚文化影响的汉代墓葬中，而楚地风俗尊凤贱虎，所以怪鸟当是凤鸟，异兽应即为虎，似乎更近于原初状态。这种仿古双联杯似乎较早在玉雕中出现，如明代著名玉匠陆子刚就有类似作品传世，犀角雕刻应是受到玉器工艺的影响，同类器物留存极少，此器是突出代表。

为香港收藏家叶义先生捐赠。

## 90. 犀角夔纹螭耳长流杯

明晚期至清早期

高 11.2 厘米　最大口径 17.5 厘米
最大足径 4.8 厘米　重 380.5 克

**Cup with *Chi*-dragon handle
and *Kui*-dragon design**
Later Ming to early Qing dynasty
Height 11.2 cm
Diameter of mouth (maximum) 17.5 cm
Diameter of foot (maximum) 4.8 cm
Weight 380.5g

杯口宽大，有明显的长流，器身扁圆，圈足式，微外撇。开敞的口部在内壁形成一周清晰的折痕。杯耳扁方，镂雕五螭纠缠合抱，其中探首入杯口的二条，脑生长鬣，似与其余有长幼之别。杯身外壁以雷纹为地，上为变形夔纹，并高浮雕七螭，攀爬上下，姿态各异。

此器吸收商周青铜觥、匜等器物的造型与装饰特征，为适应材料的形状而加以融合变异，在仿古类犀角雕刻中非常富于代表性，

包含了这一阶段典型的形式元素。

此杯为清宫旧藏，有清室善后委员会接收宫内文物时的千字文编号：藏字一二七号，查《故宫物品点查报告》第二编第二册可知当时收贮于景仁宫，点查时间是民国十四年（1925 年）三月十八日上午，记录在一朱漆木箱内第 6 号下，为"角爵二个"之一。原记录又谓有"金盖金座，盖嵌绿宝石"，今所见实物都无盖、座，可能已经遗失。

## 91. 犀角夔纹螭耳长流杯

明晚期至清早期

高 8.7 厘米  最大口径 15.6 厘米

最大足径 4.3 厘米  重 175.6 克

**Cup with *Chi*-dragon handle and archaistic decorative pattern**

Later Ming to early Qing dynasty

Height 8.7 cm

Diameter of mouth (maximum) 15.6 cm

Diameter of foot (maximum) 4.2 cm

Weight 175.6g

仿古铜器式。染色沉穆，古色古香。敞口，敛腹，小圈足，口边俯视椭圆形，一端略方，一端翻卷成流状。内外沿均饰阴刻回纹带，内口随口沿轮廓饰一周凸起之弦纹。杯身雷纹地上两侧各饰阳线勾勒之相对夔龙纹一组。流下浮雕三螭攀爬，首尾相环，姿态灵动。杯足缘亦饰回纹。杯柄由镂雕大小数螭组成，大螭探首撑据杯沿，为此种仿古式杯固定的程式之一。

此杯为清宫旧藏，有清室善后委员会接收宫内文物时的千字文编号：丽字九八九号，查《故宫物品点查报告》第二编第九册卷五可知当时收贮于古董房，点查时间是民国十四年（1925 年）八月十四日上午，记录在一木架上第 3 号下，为"大小犀角杯二三个"中第 13 个。

## 92. 犀角夔凤纹螭首耳长流杯

明晚期至清早期

高 4.7 厘米  最大口径 11.6 厘米

足距 2.5 厘米 / 2 厘米  重 95.7 克

**Cup with *Chi*-dragon handle and phoenix design**

Later Ming to early Qing dynasty

Height 4.7 cm

Diameter of mouth (maximum) 11.6 cm

Distance between feet 2.5 cm/2 cm

Weight 95.7g

器形仿自周代流行的青铜注水器匜的造型，并加以改异。有明显的流部，口边内卷，内壁口、身结合部以一条折棱为界，外壁相应位置亦有明确的阴刻界线。器身微鼓，阴刻弦纹带内，饰去地浅浮雕阳文夔凤。杯耳扁平 S 形，近口处渐变为圆雕螭首，耳与器身之间的空隙里，又高浮雕一横卧花尾螭纹，小巧圆浑，惹人喜爱。小圜底，下承品字形三矮足。

此器为香港收藏家叶义先生捐赠。

## 93. 犀角蟠螭兽面纹花形杯

明晚期至清早期

高 9.7 厘米　最大口径 17.5 厘米

最大足径 4.2 厘米　重 255.9 克

**Cup with coiled *Chi*-dragon
and monster mark design**
Later Ming to early Qing dynasty
Height 9.7 cm
Diameter of mouth (maximum) 17.5 cm
Diameter of foot (maximum) 4.2 cm
Weight 255.9g

杯通体呈花瓣式，敞口，敛腹，高圈足，镂空垂珥扁耳，上有兽吞。口沿内外及足缘一周阴刻回纹，杯外壁阴刻雷纹地兽面纹，其上又高浮雕九螭，蜿蜒攀爬，形象生动。较为写实的螭纹与图案化的仿铜器纹样恰成对照，取得了特殊的装饰效果。

此器为香港收藏家叶义先生捐赠。

**94. 犀角宝相花纹螭耳花形杯**

明晚期至清早期

高 8 厘米　最大口径 14.3 厘米

最大足径 3.6 厘米　重 166.8 克

**Flower-shaped cup with *Chi*-dragon and *Baoxiang* flower design**

Later Ming to early Qing dynasty

Height 8 cm

Diameter of mouth (maximum) 14.3 cm

Diameter of foot (maximum) 3.6 cm

Weight 166.8g

杯圆体，敞口，敛腹，小圆底。杯口沿磨平，呈花瓣式，外壁浅浮雕缠枝宝相花纹，每一分瓣上均有一朵。又高浮雕三螭攀爬，卷尾扭身，姿态各异，组成一 S 形，打破了杯身花瓣式的垂直线条，与宝相花纹的环形构图形成对比，显示出高超的意匠。杯身花瓣的筋线与瓣间的接线形成凹凸的变化，极富韵律之美。杯柄的设计尤为点睛，以一螭衔杯口，身体屈曲，细长的尾部构成了柄的轮廓，这无疑增加了雕刻的难度，却也使作品更显轻巧而富于动感。外底阴刻几何花纹一朵，带有鲜明的西洋风格。

此器为孙瀛洲先生捐赠。

**95. 犀角兽面纹螭耳八方杯**

明晚期至清早期

高 7.1 厘米　最大口径 13.6 厘米

最大足径 3.9 厘米　重 149 克

**Octagonal cup with *Chi*-dragon handle and monster mask design**

Later Ming to early Qing dynasty

Height 7.1 cm

Diameter of mouth (maximum) 13.6 cm

Diameter of foot (maximum) 3.9 cm

Weight 149g

杯呈八方式，敞口高足。口沿内外及足沿一周阴刻回纹为饰。主体纹饰则为雷纹地上阳文勾勒之兽面纹二，兽面的额、鼻与双睛分别安排于不同的侧面，增加了纹饰的立体感，十分巧妙。又镂雕双螭为杯耳式样，螭体略扁平。其一外倾，前足攀杯口，后足踞杯壁，另一扭身甩尾，动态分明。这是此类仿古器物中比较典型的设计。

此杯色泽悦目，造型简洁，纹饰典雅工整，是一件很有代表性的作品。

此器为香港收藏家叶义先生捐赠。

## 96. 犀角夔纹螭耳长流杯

清早期

高 8 厘米　最大口径 15 厘米

最大底径 4.6 厘米　重 244.1 克

**Cup with *Chi*-dragon handle and
*Kui*-dragon design**

Early Qing dynasty

Height 8 cm

Diameter of mouth (maximum) 15 cm

Diameter of bottom (maximum) 4.6 cm

Weight 244.1g

　　矮身，敞口，有流，身、足联为一体，底内凹，器形颇有特点。杯口边内外均饰回纹带，杯身外壁以锦纹为地，上饰夔纹两两相对。镂雕一大一小二螭为柄式。螭圆睛方吻，短角长鬣，具有鲜明的图案化倾向，富于时代特色。

　　此器为孙瀛洲先生捐赠。

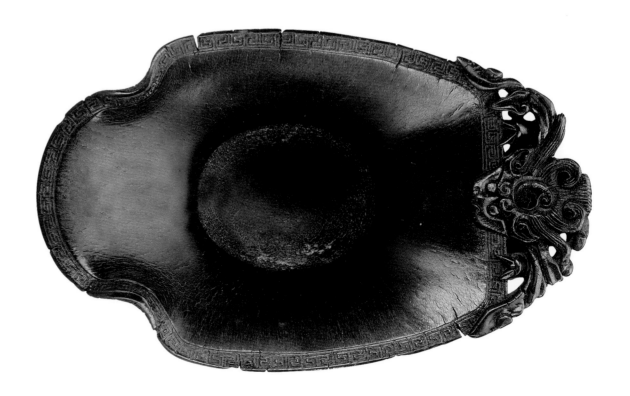

## 97. 犀角兽面纹长流杯

清早期

高 7.6 厘米　最大口径 15.2 厘米

最大底径 4 厘米　重 225.4 克

**Cup with *Chi*-dragons and monster mask design**

Early Qing dynasty

Height 7.6 cm

Diameter of mouth (maximum) 15.2 cm

Diameter of bottom (maximum) 4 cm

Weight 225.4g

　　略作仿古铜器式样，敞口，杯流处两侧稍内卷，敛腹，平底。口内与身过渡处有明显折棱。镂空扁耳，浮雕二螭分别从左右探首至耳上直入口边。杯身外壁浮雕几何纹扁屝棱三道，主体纹饰为雷纹地上阳文兽面纹，而口沿内则饰回纹带一周，装饰效果颇佳。

　　此器为孙瀛洲先生捐赠。

## 98. 犀角仿古纹螭耳长流杯

清早期至清中期

高 10.7 厘米　最大口径 13.9 厘米

最大足径 4.5 厘米　重 217.7 克

**Cup with *Chi*-dragon handle and archaistic decorative pattern**

Early Qing to middle Qing dynasty

Height 10.7 cm

Diameter of mouth (maximum) 13.9 cm

Diameter of foot (maximum) 4.5 cm

Weight 217.7g

杯口部较大，一面翻卷合拢成流式，口沿内饰有回纹装饰带，杯身环周有八道出脊，满饰仿古阳文兽面纹和变体夔纹，杯耳由一探至口沿的大螭和盘绕其首尾的小螭构成。下承高圈足，足外墙饰夔纹，外底剔地阳文"胡星岳作"篆书印章款（参看图版 116、图版 122、图版 142）。造型纹饰均有古意，而又非亦步亦趋，是典型的寓新创于复古的做法，显示出深厚的文化底蕴和作者不凡的雕刻技艺。

此杯为清宫旧藏，有清室善后委员会接收宫内文物时的千字文编号：昆字一六五号，查《故宫物品点查报告》第三编第二册卷二可知当时收贮于南库，点查时间是民国十四年（1925 年）六月三十日上午，记录在一木箱内第 49 号下，命名为"犀角斝一件"。

## 99. 犀角兽面纹螭耳长流杯

清早期至清中期

高 9.3 厘米　最大口径 16.8 厘米

最大足径 4.7 厘米　重 235.5 克

**Cup with *Chi*-dragon handle**
**and monster mask design**

Early Qing to middle Qing dynasty

Height 9.3 cm

Diameter of mouth (maximum) 16.8 cm

Diameter of foot (maximum) 4.7 cm

Weight 235.5g

　　敞口，敛腹，高足外撇，底微内凹。口部
从较宽一端由两侧向内捺压出流，是经变形
处理而成，为这一类仿古式样长流杯典型的
器形特征之一。杯内口、身二部有明确的分
界棱线。口沿内、外侧及足沿外侧均阴刻回
纹带，杯身外壁则饰锦纹地子，上为阳文兽面
纹。又镂雕四螭缠绕攀爬成柄式，一大螭后
足撑壁，探首入杯，一小螭与之并列，另二螭
分左右攀住杯沿，繁复的结构与同类作品有
类似之处。而镂空杯柄间之器壁则处理为光
面，锦纹与兽面并未延伸其内，与常见的表现
手法略有差别。

　　此器为孙瀛洲先生捐赠。

## 100. 犀角夔凤兽面纹长流杯

清早期至清中期

高 8.1 厘米　最大口径 14.5 厘米

最大足径 4.1 厘米　重 187.3 克

**Cup with *Chi*-dragon handle
and monster mask design**
Early Qing to middle Qing dynasty
Height 8.1 cm
Diameter of mouth (maximum) 14.5 cm
Diameter of foot (maximum) 4.1 cm
Weight 187.3g

　　敞口，有长流，高圈足。杯内壁口、身
有分界痕，内沿阴刻回纹带一周，杯身外壁饰
雷纹地上阳文勾勒夔凤，两侧各一，流下则为
兽面一。又镂空 S 形垂耳扁耳，一螭及缠枝
花穿插盘绕，增添了视觉变化。

　　此器纹饰工谨，雕镂美观，代表了这类
仿古杯将一些共同的形式元素巧妙组合出独
特效果的典型手法。

　　为孙瀛洲先生捐赠。

## 101. 犀角锦纹螭耳长流杯

清早期至清中期

高 8 厘米　最大口径 18.3 厘米

最大足径 4.6 厘米　重 257.5 克

**Cup with *Chi*-dragon handle
and brocade design**

Early Qing to middle Qing dynasty
Height 8 cm
Diameter of mouth (maximum) 18.3 cm
Diameter of foot (maximum) 4.6 cm
Weight 257.5g

杯体包含仿古因子，敞口，一侧边沿翻卷成流状，敛腹，小圈足，内底甚浅，口沿阴刻回纹带，外壁饰锦地纹。杯柄镂雕螭形，后足变异为几何状，造型不同于一般仿古螭耳，是为配合杯身较为图案化的装饰而作出的设计。

此器为孙瀛洲先生捐赠。

## 102. 犀角兽面纹松竹梅耳长流杯

清早期至清中期

高 7.4 厘米　最大口径 14.3 厘米

最大足径 4.5 厘米　重 150 克

**Cup with pine, bamboo, prunus
and monster mask design**
Early Qing to middle Qing dynasty
Height 7.4 cm
Diameter of mouth (maximum) 14.3 cm
Diameter of foot (maximum) 4.5 cm
Weight 150g

　　敞口，长流，敛腹，高足，足底内凹。杯
外壁饰回纹地阳文兽面，口沿内、外阴刻回
纹带，足饰凸弦纹一周。一侧镂雕折枝松、梅、
竹成杯耳式，竹枝伸入口内，松纹铺展至杯
壁，枝条相互交叠，颇附韵味。而较为写实的
"三友"装饰与整体的仿古式样构成鲜明对比，
具有强烈的审美效果，是这一类作品中有趣
的变体。

　　此器为孙瀛洲先生捐赠。

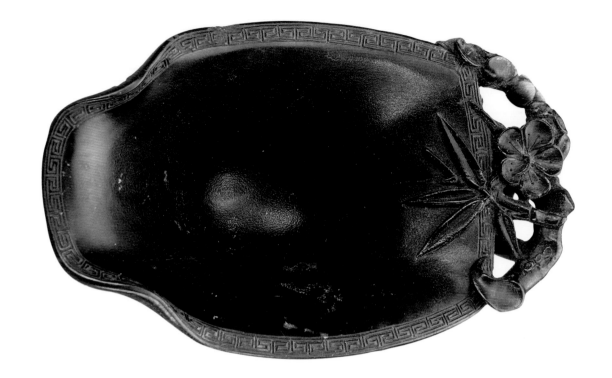

## 103. 犀角螭耳花形杯

清早期至清中期

高 6.1 厘米　最大口径 13.5 厘米

最大足径 3.9 厘米　重 135 克

**Flower-shaped cup with**
***Chi*-dragon handle**

Early Qing to middle Qing dynasty

Height 6.1 cm

Diameter of mouth (maximum) 13.5 cm

Diameter of foot (maximum) 3.9 cm

Weight 135g

杯整体如一朵花形，分作六瓣，甚为优美。内壁每一花瓣的轮廓均以匀细阳线勾勒，而中线则以阴刻表现，相应的外壁分瓣间以阴线而中线微微凸起，故杯身虽大片光素，装饰感却极强。外口阴刻回纹一周。流部下浮雕兽面一。镂雕螭纹为柄，螭尾修长，工艺精湛。小圈足，不分瓣，足底内凹。

此杯造型与装饰典雅别致，仿古因素已不突出，更多地体现了文人化的审美趣味与时代好尚。

此器为香港收藏家叶义先生捐赠。

## 104. 犀角夔凤纹花形杯

清早期至清中期

高 7.5 厘米　最大口径 14.8 厘米

最大足径 2.9 厘米　重 116 克

**Flower-shaped cup with phoenix design**

Early Qing to middle Qing dynasty

Height 7.5 cm

Diameter of mouth (maximum) 14.8 cm

Diameter of foot (maximum) 2.9 cm

Weight 116g

敞口，敛腹，小平底，杯身分作四瓣，中
线与分瓣棱线均较浅。镂雕 S 形中空垂耳扁
耳，又于其上雕一小螭，弯身回首，如欲攀爬。
口沿及外口边阴刻回纹，外壁中部一周回纹
地上阳文勾勒夔凤，两侧各一，于流下合为一
兽面，与垂直的分瓣相映成趣。染色沉穆庄重，
但依然难掩杯内壁鱼子纹及丝纹肌理予人的
独特视觉感受。

此器为侯宝璋先生捐赠。

## 105. 犀角锦纹花形杯

清早期至清中期

高 7.3 厘米　最大口径 18.2 厘米

最大足径 4.4 厘米　重 180 克

**Flower-shaped cup with brocade design**
Early Qing to middle Qing dynasty
Height 7.3 cm
Diameter of mouth (maximum) 18.2 cm
Diameter of foot (maximum) 4.4 cm
Weight 180g

杯体椭圆，如花篮般，口部开敞，敛腹，外撇高足式，足底微内凹。口沿连弧花瓣式，内壁剔刻双钩筋脉，俯视如一朵盛开花朵。外壁二道弦纹间阴刻锦纹为饰。一侧浮雕一螭口衔杯沿，尾如二股云朵，垂至杯身，仿佛杯柄式样。

此杯于仿古风格中糅合了多种装饰因素，造型优美，琢磨光洁，入手沉实，别具一格。

为孙瀛洲先生捐赠。

## 106. 犀角兽面纹梅枝耳杯

清早期至清中期

高 8.2 厘米　最大口径 14 厘米

最大足径 4 厘米　重 193.3 克

**Prunus-handled cup
with monster mask design**

Early Qing to middle Qing dynasty

Height 8.2 cm

Diameter of mouth (maximum) 14 cm

Diameter of foot (maximum) 4 cm

Weight 193.3g

略呈高足杯式，唯口部椭圆，故杯体稍扁，圈足内空，足缘微撇。上部色浅而足部较深，依稀可见其天然纹理。口内沿阴刻回纹带一周。杯身主体饰去地浅浮雕变体兽面纹，两侧各一。兽面由卷云式局部构成，富于装饰美感。而此杯最引人注目处，在杯耳部分的设计：由镂雕折枝梅构成。其枝干曲折穿插，结构复杂，伸展到杯壁的梅枝与花朵，则以高浮雕手法表现。与杯身相比，梅枝比例显得较大，且其相对写实的倾向与整饬而程式化的仿古风格亦大相径庭，构成一种独特的审美效果。类似器物并非绝无仅有，从中可见仿古犀雕的某些创作规律，也不妨说是这个时期普泛趣味的投射。

此器为香港收藏家叶义先生捐赠。

**107. 犀角兽面纹梅枝耳杯**

清早期至清中期

高 10.3 厘米　最大口径 16.8 厘米

最大足径 4.9 厘米　重 304.7 克

**Prunus-handled cup with
monster mask design**

Early Qing to middle Qing dynasty

Height 10.3 cm

Diameter of mouth (maximum) 16.8 cm

Diameter of foot (maximum) 4.9 cm

Weight 304.7g

杯敞口，略呈椭圆，修身，高圈足。造型吸收了青铜觚的形式因素，但又与犀角的形状紧密结合，十分自然。杯外壁纹饰可分为口、身、足三部分，其中口、足饰阳文夔龙，杯身略内凹，三道扉棱高度恰与上下二部相同，是巧妙运用了去地浮雕的技法，纹饰则为阳文兽面。而在杯流下方，阴刻有草书"罗浮山下西湖上，独占江南第一乡"诗句并署"升甫"款。

杯耳由一株屈曲梅枝构成，与高度图案化的器身装饰形成鲜明的对比，视觉效果突出。

此杯染色古雅内敛，光泽柔和，器形新奇，工艺纯熟，显示出高度风格化的创作倾向。

此器为香港收藏家叶义先生捐赠。

## 108. 犀角勾云纹螭耳杯

清早期至清中期

高 10.2 厘米　最大口径 14.6 厘米

最大足径 4.4 厘米　重 199.8 克

**Stem-cup with *Chi*-dragon handle
and cloud scroll design**
Early Qing to middle Qing dynasty
Height 10.2 cm
Diameter of mouth (maximum) 14.6 cm
Diameter of foot (maximum) 4.4 cm
Weight 199.8g

杯分作三部分，口部开敞较大，而身与足相联为一体，较为细瘦。器形特别，明显吸收了觚的造型。口、身交接处于内外壁均有明显分界痕，而身与足之间则以凸弦纹一道分开。足边外撇，底内凹甚深。口边及足外沿饰阴刻回纹，杯身饰去地阳文如意勾云几何纹，纹饰灵动优美，装饰效果极佳。又镂雕一大二小三螭交叠为杯耳式，穿插结构颇为复杂，显示出高妙的雕刻技艺。杯口内浮雕

灵芝一支，与探首入内的螭纹适成呼应。

此杯染色浓重，古色古香，是仿古犀雕中十分引人注目的一件作品。

器为清宫旧藏，有清室善后委员会接收宫内义物时的千字文编号：丽字九八九号，查《故宫物品点查报告》第二编第九册卷五可知当时收贮于古董房，点查时间是民国十四年（1925 年）八月十四日上午，记录在一木架上第 3 号下，为"大小犀角杯二三个"中第 18 个。

## 109. 犀角兽面纹螭耳杯

清早期至清中期

高 6.3 厘米　最大口径 14.1 厘米

最大足径 3.9 厘米　重 132 克

**Cup with *Chi*-dragon handle
and monster mask design**

Early Qing to middle Qing dynasty

Height 6.3 cm

Diameter of mouth (maximum) 14.1 cm

Diameter of foot (maximum) 3.9 cm

Weight 132g

敞口，敛腹，高圈足式，足沿外撇，底微内凹。外壁口沿处浅浮雕一周变体覆莲瓣纹，边缘及筋脉为双钩而成。杯身纹饰以变体兽面纹为主，共两组，分别饰于两侧，其边线均为凸起阳文，极为细腻。以浅阳线雷纹为地子，构成多层次的装饰。每组兽面的中线处又饰一条垂直的几何纹带，是从青铜工艺中扉棱的装饰演化而来。杯耳由镂雕双螭组成，一

大一小，大者探首衔杯沿，小者攀爬于杯身，雕刻圆润生动，与浅淡的图案化主体纹饰构成对比。

此杯纹饰在模仿商周青铜器装饰的同时，又不拘泥，而是充分考虑到犀角材质的特点及当时的审美趣味，可以看作是仿古犀角雕刻中比较典型的作品。

此器为香港收藏家叶义先生捐赠。

### 110. 犀角兽面纹螭耳杯

清早期至清中期

高 10.5 厘米　最大口径 13.5 厘米

最大足径 4.1 厘米　重 235.2 克

**Cup with *Chi*-dragon handle and
monster mask design**

Early Qing to middle Qing dynasty

Height 10.5 cm

Diameter of mouth (maximum) 13.5 cm

Diameter of foot (maximum) 4.1 cm

Weight 235.2g

　　杯近觚式，但不悖犀角之形。口开敞，身修长，略扁，高圈足微外撇。内口倾斜度颇大，内底近长方，较浅。杯口内外沿各饰回纹带一周，内壁阴刻变体勾云纹，组成几何装饰。外壁以雷纹为地，剔刻兽面纹，下饰蕉叶。杯耳由三螭穿插缠绕而成，大者颈鬣贲张，探首杯内，如在窥视，一小螭攀于其身侧，另一螭弯身在下。三螭巧妙结构，既不失动态，又不损杯耳之制，是此杯最精彩之处。

　　此器为孙瀛洲先生捐赠。

**111. 犀角兽面纹梅枝耳觚式杯**

清早期至清中期

高 8.4 厘米　最大口径 9.8 厘米

最大足径 3 厘米　重 85.7 克

**Gu-shaped cup with prunus handle and monster mask design**

Early Qing to middle Qing dynasty
Height 8.4 cm
Diameter of mouth (maximum) 9.8 cm
Diameter of foot (maximum) 3 cm
Weight 85.7g

杯仿古代青铜觚的造型，分作三段，截面略成椭圆，花瓣式口，直沿，身微弧出，高足外撇。口沿阴刻回纹装饰带，颈部刻蚕纹，身以雷纹作地，用阳线勾勒出兽面纹，足外墙刻蕉叶纹，足缘亦饰回纹。最值得注意之处，是增加了镂雕折枝桃花形耳，花枝垂于口内。

器物造型精巧，使人忘其原形，杯耳别致，与仿古装饰构成一种独特的审美张力。

此器为孙瀛洲先生捐赠。

**112. 犀角锦纹螭耳八方杯**

清早期至清中期

高 6.1 厘米　口长 10 厘米

口宽 7.2 厘米　足长 3.3 厘米

足宽 3 厘米　重 125.7 克

**Octagonal cup with coiled *Chi*-dragon handle and brocade design**

Early Qing to middle Qing dynasty
Height 6.1 cm
Length of mouth 10 cm
Width of mouth 7.2 cm
Length of foot 3.3 cm
Width of foot 3 cm　Weight 125.7g

杯经染色。八方式，敞口，敛腹，高圈足，足缘微侈。壁稍厚，口沿阴刻回纹带一周。外壁身腹部以锦纹为饰，余皆光素。雕刻一螭为耳，云状双耳，螭首与身弯折角度甚大，既保留此类仿古器物固定的程式，又根据材料做出变通，是一种很有典型意味的设计。

此杯装饰节制，而体面多变，润泽光洁，不失为一件玩赏佳品。

为孙瀛洲先生捐赠。

## 113. 犀角锦纹兽首耳八方杯

清早期至清中期

高 5.8 厘米　最大口径 12.8 厘米

最大足径 4 厘米　重 128 克

**Octagonal cup with monster mask handle and brocade design**

Early Qing to middle Qing dynasty

Height 5.8 cm

Diameter of mouth (maximum) 12.8 cm

Diameter of foot (maximum) 4 cm

Weight 128g

杯作八方式。外口沿微内收，内口边阴刻回纹带。杯身主体阴刻锦纹一周为饰，余皆光素。杯耳扁体，S 形，上饰兽首。高足，足沿微凸，足底内凹。

此杯杯壁较厚，造型敦实，但局部雕刻细致，棱角琢磨圆润，故仍工巧，为同类仿古器物中的上品。

此器为香港收藏家叶义先生捐赠。

## 114. 犀角兽面纹八方高足杯

清早期至清中期

高 10.5 厘米　口长 10 厘米

口宽 8.2 厘米　足长 4.4 厘米

足宽 4.2 厘米　重 198.4 克

**Octagonal stem-cup with monster mask design**

Early Qing to middle Qing dynasty

Height 10.5 cm

Length of mouth 10 cm

Width of mouth 8.2 cm

Length of foot 4.4 cm

Width of foot 4.2 cm　Weight 198.4g

杯八方式，为倒梯形，壁倾斜度较大；高圈足，足内甚浅，上部为实心。整体轮廓，足为正梯形，倾斜度较小，与杯身对比，更增纤巧玲珑之感。杯耳弯曲呈 S 形，与杯身相映成趣。其上端镂雕二螭纠缠于口沿处。杯口沿及高足上均阴刻回纹装饰带，杯身双弦纹间饰雷纹地上双线阳文勾勒兽面纹二，足缘一周装饰相似，唯兽面略作简化。

此器在造型与装饰上均受到当时工艺中流行的仿古思潮的影响，但也不乏新意，在繁简关系的运用上，亦别具一格，而其色泽经处理后显得深暗沉着，耐人寻味。

此器为周作民先生捐赠。

## 115. 犀角兽面纹螭耳高足杯

清早期至清中期

高 11.3 厘米 最大口径 13 厘米

底径 4.7 厘米 重 262.2 克

**Stem-cup with monster mask design and**
***Chi*-dragon handle**

Early Qing to middle Qing dynasty
Height 11.3 cm
Diameter of mouth (maximum) 13 cm
Diameter of bottom 4.7 cm Weight 262.2g

圆体，敞口，直沿，敛腹，圈足较高且外撇。其形近于高足杯，似又吸收了觚的造型因素。口唇一周微突出，阴刻回纹带。杯身1/3处饰凸弦纹一周，弦纹以上光素，弦纹之下以去地阳文勾勒兽面四组，每一兽面的中线处浮雕扉棱一道。构成兽面的纤细阳文线条圆转变化极多，故于局部又形成不同的几何纹装饰。足部纹饰与杯身主体纹饰相同，唯足沿突出而光素。杯耳扁环形，镂雕三螭

攀爬其上，一大螭自环中穿身而过，一小螭踏于杯口，恰与之相向，花尾垂于口内，另一小螭位置在下，正蜿蜒游动。环耳与螭纹的结构颇为繁复，雕刻层次精妙，工艺高超。

此杯玲珑剔透，格调高雅，加之颇能显示材料纹理与色泽之美，因此可以称得上是难得的仿古犀雕佳品。

此器为香港收藏家叶义先生捐赠。

## 116. 犀角莲螭耳高足花形杯

清早期至清中期

高 11.3 厘米　最大口径 15.3 厘米

最大足径 5.8 厘米　重 247.8 克

**Stem-cup with handle in the form of lotus
and *Chi*-dragon**
Early Qing to middle Qing dynasty
Height 11.3 cm
Diameter of mouth (maximum) 15.3 cm
Diameter of foot (maximum) 5.8 cm
Weight 247.8g

　　杯为莲花式，浮雕双层花瓣为饰。镂雕双螭及莲花成耳，螭纹与莲杆缠连错综，交叠穿插，层次多变。外壁浮雕四螭，二二相对，逶迤一周，动态传神。足部外膨似钟形，底内凹甚深。足外饰阳文垂花纹，略有西洋风味。足内刻去地阳文小圆印一，或可释为"星岳"，此器也许与生平不详但有作品传世的犀雕匠师胡星岳有关联（参看图版 98、图版 122、图版 142）。

　　此器保存状况不佳，但其造型别具风貌，镂雕工艺高超，不失为一件有一定认识价值的作品。

　　原为清宫旧藏，有千字文号：丽字九八九号，查《故宫物品点查报告》第二编第九册卷五可知，民国十四年（1925 年）八月十四日上午点查时此器收贮于古董房，为一木架上第 3 号，是"大小犀角杯二十三个"中的第 20 个。

## 117. 犀角夔纹如意耳杯

清早期至清中期

高 7.4 厘米　最大口径 10.1 厘米

最大足径 2.8 厘米　重 155.2 克

**Ruyi-handled cup with Kui-dragon design**

Early Qing to middle Qing dynasty

Height 7.4 cm

Diameter of mouth (maximum) 10.1 cm

Diameter of foot (maximum) 2.8 cm

Weight 155.2g

喇叭形口，修身，上下浑然一体。足底凹入，边沿微撇。粘合杯耳，带状，S形，上雕如意云纹。外壁以弦纹两道，分作三个装饰区间：上部光素；中间杯身饰阳文夔纹一周，线条细劲匀称；下部饰蕉叶纹。

器物造型玲珑乖巧，线条典雅柔和，存古意而不失时代风貌，充分显示了这个阶段犀角雕刻工艺的魅力。

此器为香港收藏家叶义先生捐赠。

## 118. 犀角双夔凤纹杯

清早期至清中期

高 6.1 厘米　最大口径 13.4 厘米

重 152 克

**Cup with two phoenixes design**

Early Qing to middle Qing dynasty

Height 6.1 cm

Diameter of mouth (maximum) 13.4 cm

Weight 152g

杯较低矮，敞口，圆底。利用犀角本身的结构，于外壁浅浮雕二夔凤相对，凤首与两侧翅翼部高出口边，其羽毛及环节式腹部等都作了图案化处理，装饰性很强。内壁打磨上佳，口沿一周磨出凹槽，工艺细致入微，器形与纹饰均属罕见。

此杯为清宫旧藏，有清室善后委员会接收宫内文物时的千字文编号：丽字九八九号，查《故宫物品点查报告》第二编第九册卷五可知当时收贮于古董房，点查时间是民国十四年（1925 年）八月十四日上午，记录在一木架上第 3 号下，为"大小犀角杯二三个"中第 10 个。

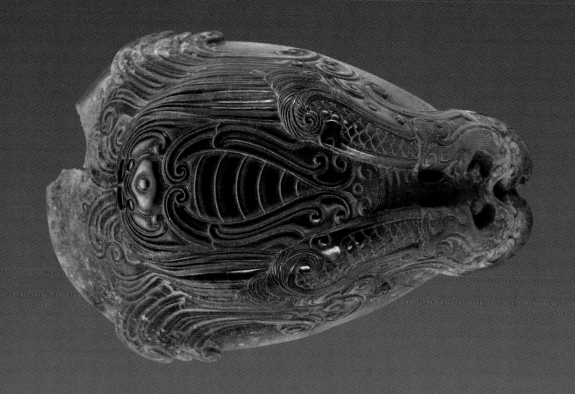

## 119. 犀角海水螭纹螭耳长流杯

清中期

高 9.6 厘米　最大口径 17 厘米

最大足径 4.5 厘米　重 249 克

**Cup with wave and *Chi*-dragon design**
Middle Qing dynasty
Height 9.6 cm
Diameter of mouth (maximum) 17 cm
Diameter of foot (maximum) 4.5 cm
Weight 249g

杯敞口，口沿较大，一侧经变形处理，捺卷如流式。杯体略扁，敛腹，小圆底，高圈足，足沿微撇。内壁口部与杯身交接处，有明显折棱。杯柄由镂雕一大二小三螭组成，刻画精细。而其外壁的装饰，则浮雕海水纹为地子，四螭纹穿插于其间。在很小的空间内，划分出多个纹饰层次，显示出高超的工艺技巧。口沿与足部分别饰以阴刻回纹带作为衬托。

此器在形制上具有这一类长流杯常见的因素，而严整又图案化的仿古器形与较为细腻写实的主体装饰之间构成的视觉张力，则为其增色不少。加之染色匀美深沉，磨工亦佳，使此器成为一件有典型意味的仿古犀雕作品。

为香港收藏家叶义先生捐赠。

## 120. 犀角兽面纹兽首耳杯

清中期

高 8.3 厘米　最大口径 15.8 厘米

最大足径 4.7 厘米　重 194.8 克

**Cup with monster handle monster mask design**

Middle Qing dynasty

Height 8.3 cm

Diameter of mouth (maximum) 15.8 cm

Diameter of foot (maximum) 4.7 cm

Weight 194.8g

杯为仿古匜式。口开敞，略呈椭圆。流部两侧内压，曲线玲珑，是此类仿古犀杯典型的处理手法。敛腹，圜底，S 形带状垂珥扁耳，上饰兽首。高足，微外撇，与杯身相比略有头重脚轻之感。纹饰亦仿青铜器，口、足边沿阴刻回纹带，器身饰一周回纹地兽面纹。器形一无棱角，浑圆可喜，装饰集中，恰到好处，是一件很有特点的犀角雕刻品。

足内杯底刻有"陈贤佐"篆书方印。其人待考。

此器为香港收藏家叶义先生捐赠。

## 121. 犀角夔纹螭耳杯

清中期

高 8.3 厘米　最大口径 9.4 厘米

最大足径 4 厘米　重 183.4 克

**Cup with *Chi*-dragon handle
and *Kui*-dragon design**

Middle Qing dynasty

Height 8.3 cm

Diameter of mouth (maximum) 9.4 cm

Diameter of foot (maximum) 4 cm

Weight 183.4g

此杯口部较小，外撇，流部短而浅，两侧内卷处近乎示意。颈部甚短，杯身圆浑，似罐状，饰阳文椭方形开光三个，分别在两侧及流下，内为阳文线条勾勒之夔龙纹。圈足瘦而高，足沿微卷。杯耳由镂雕双螭组成，大者爪攀杯沿，探首似欲入杯内，小者游动其旁，矫健灵活。几部分组合起来看似稚拙，实颇讨巧，大小正堪盈握，令人爱不释手。

此器为香港收藏家叶义先生捐赠。

## 122. 犀角螭纹觚式杯

清中期

高 16.2 厘米　口长 14.1 厘米　口宽 10.9 厘米

足长 5.9 厘米　足宽 5.7 厘米　重 362.3 克

**Cup in *Gu* form with *Chi*-dragon design**
Middle Qing dynasty
Height 16.2 cm
Length of mouth 14.1 cm　Width of mouth 10.9 cm
Length of foot 5.9 cm　Width of foot 5.7 cm
Weight 362.3g

仿商周青铜饮酒器觚形，略成方体，口部
开敞，腰部稍弧凸，圈足外撇，三部分以光素
凹槽分开，器形匀称，比例适度。四边及四面
中线饰变体扁棱，口、足部饰去地阳文仰、覆
莲瓣纹，腰部饰回纹及兽面纹。又以高浮雕及
局部镂雕技法，刻划各种姿态的螭纹，蜿蜒于
杯壁上，数螭纠缠至于杯口，呈杯耳式样，则
是运用了镂雕甚至圆雕技法来表现。螭纹共
计 15 条，却无丝毫雷同，每条均雕刻工巧，令
人称赏。器物主体古雅凝练，而纹饰繁缛富丽，
两者叠加，产生了奇妙的装饰效果，十分典型
地反映了清中期犀角工艺复古而蕴新变的审
美格调，是这个时期犀角雕刻中的代表。

外底刻阳文"壬午七夕胡允中为仲青盟
翁作"行书款识及"胡允中印"篆书方印，
另有一圆形阳文印章，曾于多件作品上出现，
或可释为"星岳"，疑与犀雕匠师胡星岳有关。
至于"壬午"年款，依作品风格推测，当为
1702 年或 1762 年，而以后者可能性较大（参
见图版 98、图版 116、图版 142）。

此器为香港收藏家叶义先生捐赠。

## 123. 犀角龙柄杯

清中期

高 11.5 厘米 最大口径 13.5 厘米

足径 5 厘米 重 246.2 克

**Cup with dragon handle**

Middle Qing dynasty

Height 11.5 cm

Diameter of mouth (maximum) 13.5 cm

Diameter of foot 5 cm Weight 246.2g

此作形制极为特殊。其杯体较为规整，
扁圆，敞口，修身，微撇圈足，似包含仿觚式
器物的造型因素。内壁光素，有四道分瓣式
凸棱，在同类犀杯中尚可见近似者。外壁浅
浮雕纹饰，以二道带纹为隔，分作上、中、下
三个区间：上部为变体回形纹；中部为双龙戏
珠纹，写实中又适度简化；下部为变体云纹。
中部龙纹本应占据主体装饰的位置，却并非
全器最着意处。盖因其最引人注目者在镂空
龙形柄，贯通上下并从杯底环至相对一侧，并
以三朵云纹为矮足，成一 U 形支架结构。这
样镂空面积大，耗费材料多的杯柄设计，在其
他器物上极为罕见。且其雕刻精工，龙身曲
折转侧却不乏弹性力感，龙纹形态亦不失法
度，龙尾处还缠绕一小龙，极为生动。为了呼
应攀于杯口的龙柄首，又于口沿浮雕相向螭
纹二，大小四龙相配，似还包含有传统吉祥纹
样"苍龙教子"的寓意。

此器构思巧妙，于造型上翻出新样，纹
饰繁缛而主题统一，在仿古面目中又蕴蓄时
代风格。

为香港收藏家叶义先生捐赠。

## 124. 犀角梅枝耳四足匜式杯

<u>清中期</u>

<u>高 7.3 厘米 口长 12.5 厘米 口宽 8.5 厘米</u>

<u>足距 3.2 厘米 / 2.2 厘米 重 171.7 克</u>

**Four-footed cup in _Yi_ form with prunus handle**

Middle Qing dynasty

Height 7.3 cm

Length of mouth 12.5 cm  Width of mouth 8.5 cm

Distance between feet 3.2 cm/ 2.2 cm

Weight 171.7g

仿古匜式，流部呈短方槽状，稍高，弧线起伏有致。内口沿饰一周阴刻回纹带，外口沿一周微凸，其下为阳文勾勒的几何形纹样。器身主体由六条凸弦划出五道凹槽，均匀流畅，很具特点。下承四矮足，亦饰变体几何纹饰。配镂雕梅树式双股杯耳，枝干旁逸斜出，结构颇为繁复，梅花、花蕾、瘤节等俱全，与仿古装饰相比，显得非常写实，而相互映衬之下，效果极为鲜明。此器在仿古犀雕中是比较少见的一种类型。

此器为香港收藏家叶义先生捐赠。

## 125. 犀角兽面纹爵式杯

清中期

高 16.5 厘米  最大口径 14.4 厘米

足距 7.6 厘米  重 205 克

**Cup in *Jue* form with monster mask design**

Middle Qing dynasty

Height 16.5 cm

Diameter of mouth (maximum) 14.4 cm

Distance between feet 7.6 cm    Weight 205g

杯仿古青铜爵式，有流有尾，两侧有方形
短柱，一侧镂雕兽首几何纹鋬，三足外撇。外
口沿浅浮雕夔凤纹装饰，身饰云雷纹扉棱，在
扉棱之间，以云雷纹为地，上浮雕变形夔纹及
兽面纹。下腹光素，足部饰兽面蝉纹。此杯
轮廓线圆滑柔和，纹饰多图案化处理，古意盎
然，又富有时代特点，是仿古犀角雕刻中较为
严谨且兼具艺术性的作品之一。

此器为周作民先生捐赠。

## 126. 犀角螭纹爵式杯

清中期

高 9.8 厘米　最大口径 8.6 厘米

足距 5.2 厘米 / 5 厘米　重 89.5 克

**Cup in *Jue* form with *Chi*-dragon design**
Middle Qing dynasty
Height 9.8 cm
Diameter of mouth (maximum) 8.6 cm
Distance between feet 5.2 cm/ 5 cm
Weight 89.5g

器形吸收了商周时期酒器爵的某些特点，为圜底圆体鼓腹三足式样。俯视口部呈椭圆形，一侧稍窄，为流。侧视流部略高，弧线突出，两边内卷，构成宽平的流槽。器身短小，饰一周装饰纹带，以阳线勾画回纹为地，其间浮雕二夔龙，并于流下处合拢成一兽面纹。纹饰均以去地浮雕法表现，刻画细腻。底部光素。三尖状足外撇，上饰有阳纹蕉叶形装饰区间，内填简化的几何适合纹样。足部处理需将角尖一分为三，并通过特殊手段才能成形。这种突破犀角外形限制的做法，也成为此器最为人瞩目之处。口两侧有二短柱，各盘绕一镂雕螭纹，一朝向流，一朝向尾，一环于外，一环于内，隔杯口相呼应，颇具匠心。

此器引用商周青铜器的造型及装饰因素，做出适合犀角材质特点的简化与改变，并以富有时代风格的装饰手法进行组织，可以说代表了清代中期仿古犀雕的典型面貌。

配环状菱花形三兽足座。

此器为香港收藏家叶义先生捐赠。

### 127. 犀角人物形柱爵式杯

清

高 12 厘米　最大口径 15.4 厘米

足距 6.2 厘米 / 5.3 厘米　重 210 克

**Cup in *Jue* form with figure design**

Qing dynasty

Height 12 cm

Diameter of mouth (maximum) 15.4 cm

Distance between feet 6.2 cm/ 5.3 cm

Weight 210g

杯仿青铜爵的造型。利用犀角本身形状，制成宽流窄尾之形。圆腹，较浅。三柱足外撇，是经变形处理而成。以三足为界，杯身划分出三个开光，分别饰去地浅浮雕海水灵芝纹，足根饰兽吞，足尖饰如意云纹。而口沿及口、身相接处均饰阴刻回纹一周。雕工较为浑朴粗犷。

最特别的装饰是爵杯的双柱被两个着官服的人像所代替，其一持官帽，其一托小鹿，依传统吉祥图案谐音取意的惯例，即可理解为加"官"（官帽）、进"爵"（爵杯）、添"禄"（鹿）。虽然看来稍嫌突兀，含义也未免直白，但毕竟反映了一种历史好尚，具有一定的认识价值。

此器为香港收藏家叶义先生捐赠。

## 128. 犀角夔纹三足花口杯

清

高 9.3 厘米　最大口径 12.2 厘米

足距 5.9 厘米　重 193.6 克

**Three-footed cup with *Kui*-dragon design**

Qing dynasty

Height 9.3 cm

Diameter of mouth (maximum) 12.2 cm

Distance between feet 5.9 cm

Weight 193.6g

扁圆体，三矮足，造型奇特，浑朴可喜。外壁浮雕龙纹扉棱四道。纹饰以二条横纹为界，分作上、中、下三部分，上部阴刻回纹地上浅浮雕夔纹，并阴刻线条；中部为阴刻海水纹地上变体夔凤纹，亦阴刻眼、喙等；下部为蝉纹。足饰兽吞。内壁则雕作海棠花瓣叠压状，口边成连弧花瓣式。其纹饰组合大胆新颖，雕刻多用阴文，较为粗犷，在同类作品中并不多见。

此器为 1959 年收购所得。

## 129. 犀角石形杯

明

高 8.7 厘米　最大口径 18 厘米
最大底径 6 厘米　重 562.9 克

**Cup with inscriptions, signed _Mi Fu_**
Ming dynasty
Height 8.7 cm
Diameter of mouth (maximum) 18 cm
Diameter of bottom (maximum) 6 cm
Weight 562.9g

杯保持犀角本形，截去角尖，磨平而成底。器体厚重，外壁雕成凹凸不均状，有如奇形之大石，得天成之趣。实则磨工精到，圆润光洁，有"不雕之雕"的意匠。一面刻有阳文篆书铭文三行，文字多不可识："生平□（爱？）石此君□（似？）之矧其气正而□（解？）□是以□□而身□"及"米芾"款识与"南宫"篆书印章。

米芾（1051～1107年），字元章，世称米南宫。吴人，祖籍太原。是宋代著名书画家、鉴赏家。为人率性，不同流俗，有洁癖，喜蓄石。相传无为州有巨石奇丑，芾见大喜，具衣冠拜之，呼之为兄。"米颠拜石"的故事影响甚大，此作正是巧妙地化用是典而来。

此器为孙瀛洲先生捐赠。

**130. 犀角仙踪吉祥图杯**

明晚期

高 7.6 厘米　最大口径 17.3 厘米

最大底径 6 厘米　重 273.1 克

**Cup with auspicious theme design**
Later Ming dynasty
Height 7.6 cm
Diameter of mouth (maximum) 17.3 cm
Diameter of bottom (maximum) 6 cm
Weight 273.1g

杯以角型为基础，广口敛腹，俯视呈椭圆形，杯口一侧弧线较长，如流状，另一侧则于口沿处雕镂瘿形纹饰。外壁雕作老树盘根错节，纹理抽象，以流转之线条布满器身，形成云烟一般朦胧写意的效果。在杯侧又浮雕写实的花篮及葫芦，仿佛被仙家遗落于林莽间，点明了吉祥的主题。内壁则任其光素，而颗粒细微的质地，如磨砂玻璃般，光泽漫漶，与外壁凸凹的抽象装饰，形成了恰到好处的对照，显示出犀角制品的独特美感。

此器为孙瀛洲先生捐赠。

**131. 犀角光素杯**

明或清

高 7 厘米　最大口径 15.5 厘米

最大底径 5.3 厘米　重 434.4 克

**Cup with plain surface**
Ming or Qing dynasty
Height 7 cm
Diameter of mouth (maximum) 15.5 cm
Diameter of bottom (maximum) 5.3 cm
Weight 434.4g

器物以整支犀角截去角尖，成平底敞口杯形，外壁亦保留犀角根部的凹凸，稍加雕刻，即如倒挂之岩石，嶙峋有致。磨工十分周到，充分显示了材质本身的光泽、纹理与质感。

此器为香港收藏家叶义先生捐献。叶先生曾根据审美倾向，推断其创作年代在 15 世纪之前，甚至早至宋代，但由于光素器断代尚缺少足够的参照，故依目前所知仍将其归入明清这一犀雕传世品比较集中的时期。

## 132. 犀角光素杯

明或清

高 5.8 厘米　最大口径 13.5 厘米

最大底径 7.2 厘米　重 274.4 克

**Cup with plain surface**

Ming or Qing dynasty

Height 5.8 cm

Diameter of mouth (maximum) 13.5 cm

Diameter of bottom (maximum) 7.2 cm

Weight 274.4g

此杯敞口，平底，为截取犀角根部稍加雕刻打磨而成，外壁凹凸不平，如块石，如老树，充满抽象的装饰意趣。

此器为香港收藏家叶义先生捐赠。

## 133. 犀角树瘿纹杯

明或清

高 7.4 厘米　最大口径 12.6 厘米

最大底径 4.3 厘米　重 181 克

**Cup with gnarled tree trunk texture**

Ming or Qing dynasty

Height 7.4 cm

Diameter of mouth (maximum) 12.6 cm

Diameter of bottom (maximum) 4.3 cm

Weight 181g

杯敞口，敛底，口沿略近椭圆，流部稍高。整体造型及装饰如截断的老树桩。杯壁即似树干中空后的皮层，以浅浮雕为主要技法，刻划瘿瘤的蟠隙瘢痕为装饰，颇为独特。外壁大部分光素，仅于局部浮雕若干小瘤凸，一侧有剥裂的老皮，边缘纵向成阳文。杯耳处浮雕密集的大小瘿瘤，重重叠叠，相互交错，富于图案化的装饰效果。瘿瘤本是树病，但在我国古代却因其千姿百态的花纹与肌理，而倍受重视，瘿木雕刻甚至成为木雕中独立的品种。而以树瘿作为装饰题材，在犀角雕刻中也有所体现，这件瘿瘤纹杯就是比较突出的一件。

此器为香港收藏家叶义先生捐赠。

## 134. 犀角光素杯

清

高 8.3 厘米　最大口径 16.6 厘米

最大底径 5.3 厘米　重 215.6 克

**Cup with plain surface**

Qing dynasty

Height 8.3 cm

Diameter of mouth (maximum) 16.6 cm

Diameter of bottom (maximum) 5.3 cm

Weight 215.6g

器作敞口修身杯式，为犀角截去尖端而成。经过染色，色泽泛红，纹理已不明显。内外壁均无雕刻，一任光素，但琢磨光润，别具美感。此器有可能是成器，但也有可能是进入清宫后经初步加工有待进一步精雕细刻的半成品。

此杯为清宫旧藏，有清室善后委员会接收宫内文物时所编千字文号：丽字九八九号，

查《故宫物品点查报告》第二编第九册卷五可知当时收贮于古董房，点查时间是民国十四年（1925 年）八月十四日上午，记录在一木架上第 3 号下，为"大小犀角杯二三个"中第 3 个。

## 135. 犀角仙人乘槎杯

明晚期至清早期

高 11.7 厘米  长 27 厘米

口最宽 8.7 厘米  重 396.2 克

**Raft with an immortal in a log boat**
Later Ming to early Qing dynasty
Height 11.7 cm  Length 27 cm
Width of mouth (maximum) 8.7 cm
Weight 396.2g

依据犀角形状雕作一半旧古木式酒杯，前部收拢为柱状，中空如流；中部边缘外膨似杯身，其上雕镂枝干环转如椅背，花朵盛开，似梅与荷，一老者手捧如意，端然稳坐；后部亦空出，与前部相通。流旁雕屈曲老干为饰。槎尾及槎底浅浮雕水波纹。全器色如浅栗，丝纹隐现，琢磨光润，质感细腻，细节处理颇为精美。槎尾上翘部分外壁有阳文篆书"再来花甲子"题铭及"尤通"款识，下为"雨源"方框印章。槎腹内底阴刻楷体诗句：

照渚幸而谊温氏，刻杯仍此遇尤家，

河源自在人间世，汉使讹传星汉槎。

并"乾隆御题"款及篆书"比德"、"朗润"二方印 。该诗收入《高宗御制诗集》四集卷九十八癸卯年（1783 年）下，诗后有长篇自注，除辨析张骞寻河源事外，又谓"此犀角杯款刻尤通，作乘槎式，雕镂精巧生动。

按《无锡县志》称尤氏以犀角饮器名，即尤通也"。

查《无锡县志》等材料，只说该地有尤某，以善刻犀角闻名，称"尤犀杯"，康熙年间曾被征召入宫，依前引乾隆认为此人即尤通，其说似还需更多材料证实。不过，根据目前所见实物，尤通为犀角雕刻名家，当无疑意。"雨源"印一般同时出现，应为尤通之字号。

槎杯的形制可能为元代银工朱碧山所创，而犀角的天然形状恰好与之接近，可以很好地发挥自身的特点，因此明清时期槎杯成为犀角雕刻中一个重要题材。槎杯据说是附会张骞乘槎寻觅黄河源头之事而来，这也引发了乾隆的考据癖，在前引诗注中用了二百余字篇幅辨析其说"支离不经"。

此器之点查号为：成三三五，据《故宫物品点查报告》第二编第一册卷二可知，原藏斋宫诚肃殿一雕龙硬木顶柜内，记作"犀角乘槎杯一个（乾隆题，带木座）"，点查时间为民国十四年（1925 年）五月二日上午。

而台北故宫博物院也藏有一件尤通款犀角雕槎杯，原存于热河行宫或古物陈列所，二器在风格、款识和乾隆御题等方面都很相似，但某些细节的区别十分耐人寻味，如台北一件御题后有"壬寅"年款，它们之间的关系还有待进一步考索。

昭渚辛而道溫溫
氏刻杯仍以遇
尤家河源自莊
人間世渼使訛
傅星漢槎
乾隆御題

## 136. 犀角仙人乘槎杯

明晚期至清早期

高 10 厘米　长 23.4 厘米

口最宽 7.5 厘米

**Raft with an immortal in a log boat**
Later Ming to early Qing dynasty
Height 10 cm　Length 23.4 cm
Width of mouth (maximum)　7.5 cm

槎杯以整支犀角随形雕成，有明显的黑色斑纹。中部挖空似储酒浆处，前端收尖微翘，中有穿孔与身相通，并镂雕枝丫屈曲纠缠。后部雕镂为倾侧斜面，纹饰以叠石花卉为主，而花木掩映之下一老者正展书而读。槎底刻水涡纹。

此槎镂雕工艺娴熟，人物虽小却神态准确，有专家还推测它就是清宫"进单"中所载"乾隆五十五年八月十二日"纪昀所进的那件"旧犀角博望仙槎"。不论如何，在传世的同类作品中它都属于艺术与技巧水准较高者。

## 137. 犀角仙人乘槎杯

明晚期至清早期

高 8 厘米　长 16.8 厘米

口最宽 8.2 厘米　重 98.1 克

**Raft with an immortal in a log boat**
Later Ming to early Qing dynasty
Height 8 cm　Length 16.8 cm
Width of mouth (maximum)　8.2 cm
Weight 98.1g

保留犀角原初形状，将内部掏空，成前窄后阔的船型，前端镂孔为流，中部微束腰，其上为人物倚坐，显然为凑泊材料而角度倾斜，表现长髯长者背靠枯枝，手捻胡须，向左侧头，神态极为安祥。其身左枝上挂一拂尘，似随风摆动，为人物增添了些许仙家风范。槎底浅浮雕水波翻卷成涡，水纹层次分明，细入毫发。整个器物风格轻巧工细，十分别致。

此器为香港收藏家叶义先生捐赠。

## 138. 犀角仙人乘槎

清早期至清中期

高 11.1 厘米　长 21.1 厘米

最宽 6.6 厘米

**Raft with an immortal in a log boat**
Early Qing to middle Qing dynasty
Height 11.1 cm　Length 21.1 cm
Width (maximum) 6.6 cm

槎体为刳作半月枯树的独木舟式，一老者依靠枯枝坐于舟中。与前面三件槎形杯相比，此器身浅而没有明显储存酒液的空间；人物的比例明显偏大，以圆雕手法表现，且直接坐于槎内；槎体雕刻瘿节纹，虽打磨圆润却显得更为满密与繁缛；槎尾翘起，超过了人物的高度；而槎底水波纹为高浮雕，立体感更强。因此，虽同为槎形器，但这一件与以尤通款为代表的几件颇为不同。有的学者认为此种类型制作的时代应较晚一些<sup>注1</sup>。

此作为清宫旧藏，有清室善后委员会接收宫内文物所编千字文号：露字一〇六号，查

《故宫物品点查报告》第二编第九册卷四可知当时收贮于敬事房，点查时间是民国十四年（1925年）五月二十一日上午，记录在一木盘内第6号下："犀角仙舟一个。"

注1：如陈慧霞《明末清初雕犀角人物乘槎的时代意涵》注57，即认为此类型应出现在更晚一些的乾隆中期以后，《故宫学术季刊》第25卷第2期，第71页。

### 139. 犀角蟠螭仿古纹执壶

<u>明晚期</u>

<u>高 13 厘米  最大口径 7.8 厘米</u>

<u>最大底径 4.5 厘米  重 316.3 克</u>

**Ewer with archaistic coiled**
***Chi*-dragon design**

<u>Later Ming dynasty</u>

<u>Height 13 cm</u>

<u>Diameter of mouth (maximum) 7.8 cm</u>

<u>Diameter of bottom (maximum) 4.5 cm</u>

<u>Weight 316.3g</u>

此器以一只较大犀角截去角尖制成壶身，一较小犀角保留原形制成壶盖，加之流把俱全，突破了常见的犀角杯形制，构思奇巧，有先声夺人之妙。壶身用极浅的阳文浮雕配合阴刻技法，模仿商周青铜器的装饰，雕刻出主体双层纹样：雷纹地上以简化扉棱为鼻左右对称的兽面，相向夔纹则似为眉部；其上一周又饰以夔龙、夔凤，其下一周饰蕉叶纹。盖上纹饰相近，亦饰蕉叶纹与夔纹。在壶的流及把上，还分别镂雕螭纹，蜿蜒攀爬，姿态生动。壶底刻剔地阳文"鲍天成制"篆书印章。

这一阶段的工艺思潮既强调仿古又追求新奇，因此很多情况下古代器物的造型与装饰只是作为素材被引用，并不是亦步亦趋地遵守，体现出的往往是古雅和时髦相互融合后的时代风貌。从这件小壶上，我们就能窥见一斑。

鲍天成，吴县（今苏州）人，擅制犀角，时人认为是吴中绝技之一，又能雕刻象牙、紫檀及各种香料等，作成图匣、香盒、扇坠、簪纽之类，种种奇巧，迈越前人，其作品传世绝少。

此器为香港收藏家叶义先生捐赠。

## 140. 犀角蟠螭纹四足鼎

清中期

通高 21 厘米　鼎高 16.2 厘米

口边长 9.5 厘米　宽 7.9 厘米

足距 8.6 厘米 / 6.4 厘米

犀角部分重 343.2 克

**Four-footed *Ding* with *Chi*-dragon design**
Middle Qing dynasty
Overall height (with jade finial) 21 cm
Ding: Height 16.2 cm
Length of mouth 9.5 cm
Width of mouth 7.9 cm
Distance between feet 8.6 cm/ 6.4 cm
Weight of rhinoceros horn 343.2g

　　双耳四足方鼎式，器形端庄大方。外翻
的四足，是将犀角尖端切分并经变形处理而
成，使器物在整体上摆脱了原材料外形的束
缚。鼎外壁阴刻云雷纹地，四转角浮雕扉棱，
足阴刻几何纹。而最令人称奇的装饰是鼎身
上 15 条大小螭纹及一龙纹。以高浮雕及镂雕
技法表现，攀爬于与鼎耳、身腹及足间，或上
或下，扭结穿插，活灵活现。它们与严整规矩
的鼎形本不相侔，但经过巧妙地设计，却也
互为映衬，显露出一种雍容涵纳的华贵气度。
再配以相得益彰的紫檀木盖，以及具有金元
"秋山"玉风韵的镂空鹿鹤灵芝纹白玉盖钮，
更使人不得不感叹时代风格在一件器物上所
留下的印痕竟是如斯深刻。

　　此鼎为清宫旧藏，有清室善后委员会接
收宫内文物时所编千字文号：巨字一七八号，
查《故宫物品点查报告》第四编第三册卷
二可知当时收贮于养性殿，点查时间是民国
十四年（1925 年）八月十四日下午，记录为
一木箱内第 16 号之"紫檀长盘"下："内盛
犀角四足鼎一件、竹根仙人一件、竹根桃式
盒一件（带册页一件）。"

## 141. 犀角蟠螭兽面纹四扁足鼎

清中期

高 17.5 厘米　口边长 10.1 厘米

宽 8.3 厘米　重 216.8 克

**Four-footed *Ding* with monster mask design**

Middle Qing dynasty

Height 17.5 cm

Length of mouth 10.1 cm

Width of mouth 8.3 cm　Weight 216.8g

　　器模仿商周青铜器的形制，身略呈方斗式，敞口，方唇，敛腹，四足扁平状，微外撇，四射形与身相接。器身饰扉棱，框出装饰区。阴刻夔凤及兽面为地，每个立面高浮雕两螭，一向上一向下，曲线玲珑。足部经过特殊变形处理，故能突破犀角轮廓，其纹饰似龙叶水流，装饰性很强。外底刻篆书剔地阳文"子子孙孙永宝用之"方章。

　　此鼎为清宫旧藏，有清室善后委员会接收宫内文物时所编千字文号：丽字一三三四号，查《故宫物品点查报告》第二编第九册卷五可知当时收贮于古董房，点查时间是民国十四年（1925 年）十二月二日上午，记录为："角鼎一件"。

## 142. 犀角兽面纹四足方鼎

清中期

通高 11 厘米  口长 8.8 厘米  口宽 7.5 厘米

足距 6.1/5.1 厘米  重 116.2 克

**Four-footed *Ding* with monster mask design**

Middle Qing dynasty

Overall height 11 cm

Length of mouth 8.8 cm  Width of mouth 7.5 cm

Distance between feet 6.1 cm/ 6.5 cm  Weight 116.2g

　　仿青铜鼎造型。身如方斗，立耳，四圆柱足外撇，由口沿至足尖形成四条内弓的曲线，整体轮廓线轻灵而饱满。器身四面有小扉棱，四边有出脊。每面纹饰均为上雕二阳起夔凤纹，下雕二夔龙纹，并合成一图案化的兽面。外底剔地阳文椭圆小印一。制作此鼎需将倒转的犀角上部一劈为四，软化处理使之变形，再施雕刻而成鼎足，意匠出人意表，从中也可见此时犀角工艺所达到的水平。

　　鼎外底所刻小印与前之高足花式杯、觚式杯上"星岳"印章有相类之处，推测此器与名匠胡星岳亦有关联（参见图版 98、图版 116、图版 122）。

## 143. 犀角兽面纹鬲鼎

清中期

高 12.4 厘米　口径 9.6 厘米

足距 6.5 厘米　重 186.4 克

**Three-footed *Li* with monster mask design**

Middle Qing dynasty

Height 12.4 cm

Diameter of mouth 9.6 cm

Distance between feet 6.5 cm　Weight 186.4g

圆口，方唇，立耳，三柱足，足根呈袋状。这类上部似鼎而下腹似鬲并有高足的器物，一般称作鬲鼎，又名分裆鼎，在商代遗址中即有发现。此器吸收西周早期鬲鼎的特点，在装饰上也保留了其基本结构。至于仿古意匠可以参照今存台北故宫博物院藏清代仿《西清古鉴》卷三"周友史鼎"注1 的"玉兽面纹鼎"注2。

而此器纹饰更为简洁，兽面纹浮雕于每一足根处，其余部分则任其光素。兽面形式特别，由多种几何纹组成，头上两组重圈，如缩双髻，

整体看来，形成一种剪纸般的效果，装饰性很强。这样做显然是为突出了犀角本身的色泽与纹理，也恰到好处地烘托了圆润秀雅的整体风格。其造型突破了材料形状的局限，显示出高超的工艺水平，是犀雕陈设中的上品。

依此器之造型与纹理特点推断，所用原料当为非洲产犀角。

注1：改定自《宣和博古图》卷一"商父乙鼎"。
注2：见张丽瑞《宫廷之雅——清代仿古及画意玉器特展图录》第 60 ～ 61 页，图 3，台北故宫博物院，1997 年。

## 144. 犀角回纹活环匜

清

高 9.6 厘米　长 17 厘米　宽 8 厘米

重 391.6 克

***Yi* with plain surface and loop**

Qing dynasty

Height 9.6 cm

Length 17 cm　Width 8 cm

Weight 391.6g

器仿青铜匜形，色呈浅褐，矮体阔流，椭圆浅圈足，器壁较薄，口沿饰阴刻回纹一周，余皆光素，流下嵌粘活环，后侧镶嵌环形鋬。

匜是商周时期青铜器中盥洗器皿的一种，用之泻水于手，而以盘承之，其形本如瓢，有有盖、无盖，四足、三足及无足多种。

此器造型新奇，是利用一支较为粗大的犀角本身自然弯曲的形态，经剪裁分剖而成型，舍弃的材料是很惊人的，在犀角雕刻中这样不惜工本的做法还颇为少见。

此器为香港收藏家叶义先生捐赠。

## 145. 犀角提梁花篮

清中期

通梁高 16.5 厘米

最大口径 10.3 厘米 足径 5 厘米

总重 456.5 克

**Flower basket with loop handle**

Middle Qing dynasty

Overall height 16.5 cm

Diameter of mouth (maximum) 10.3 cm

Diameter of foot 5 cm

Overall weight 456.5g

利用犀角倒置而成花篮式，外壁满雕竹篾编织状纹饰，非常精细。于口沿处浮雕佛手、玉兰、灵芝、向日葵等，并镂雕双耳及提梁。篮内以染牙、宝石等配合金属丝制枝条，表现各色花朵与果实，如玉兰、菊花、石竹、桃实等，无不周到生动，与口沿浮雕及提梁的处理相得益彰。

花篮构思巧妙，能突破犀角本形的局限，造型别致，寓意吉祥，是犀角雕刻中值得关注的一件作品。

此作为清宫旧藏，有清室善后委员会接收宫内文物所编千字文号：昆字二〇三号，查《故宫物品点查报告》第三编第二册卷二可知当时收贮于南库，点查时间是民国十四年（1925年）七月六日上午，记录在一大木柜第96号下："雕刻犀角花篮一个。"

## 146. 犀角提梁花篮

清中期

通梁高 15 厘米　花篮高 8.3 厘米

最大口径 10.5 厘米　最大足径 4.1 厘米

重 128.8 克

**Flower basket with loop handle**

Middle Qing dynasty

Overall height 15 cm

Basket: Height 8.3 cm

Diameter of mouth(maximum) 10.5 cm

Diameter of foot (maximum) 4.1 cm

Weight 128.8g

犀角倒置成竹篮形，束腰，敞口，外壁浮雕细密均匀的编织纹，而口内、足内保持光素。篮两侧镂雕折枝梅树、兰花，口沿下灵芝一支并葫芦一，推测如前作般篮内可放入其他材质的花果，互相配合，装饰效果会更为突出。最为巧妙的是活环结构的提梁，为镂空而成，使整个花篮似乎摆脱了材料形式的限制，显得生动自然。一耳拼接，触之微动，熟视略见榫卯，然可称天衣无缝。

此作有编号：渡二五六号。"渡"字为集中点查后又发现的宁寿门外东院文物所用补号。

## 147. 犀角花口碗

明

高 11.5 厘米　口径 14.4 厘米
底径 6.3 厘米　重 650 克

**Flower-shaped bowl**
Ming dynasty
Height 11.5 cm
Diameter of mouth 14.4 cm
Diameter of bottom 6.3 cm
Weight 650g

六瓣花式，口微侈，深腹，圈足亦呈花形。器形较大，却洗练规整，器壁略厚，但磨工细致，角质本身的纹理与光泽遂凸现无遗。

此器为香港收藏家叶义先生捐赠。叶先生根据布莱恩·摩根（Brian Morgen）在英国"东方陶瓷学会"所宣读的论文认定此种器形为明洪武时期的典型[注1]，我们以为还没有直接的证据可以证明该结论，故仅定为明代。

注 1：见叶义撰，李绍毅译《中国犀角雕刻收藏小记》，载《捐献大家——叶义》第 21 页，紫禁城出版社，2007 年。

## 148. 犀角光素碗

明

高 8.9 厘米

口径 12.5 厘米 底径 8 厘米

重 208.6 克

**Bowl with plain surface**

Ming dynasty

Height 8.9 cm

Diameter of mouth 12.5 cm

Diameter of bottom 8 cm

Weight 208.6g

直壁碗式，碗形较高，微撇口，垂腹，平底，器形规整。杯壁光素，极薄，承空视之，几如透明。未经染色，质地温润细腻，丝状天然细纹如悬针，均有微妙差异，实有美不胜收的视觉效果。依形状、纹理等推测，原料为非洲犀角。

碗外底阴刻一周拉丁文"COPO. DE. ABADA."。在目前已知的中国犀角雕刻中，留有西文刻铭者，还是极为罕见的。

而碗外壁口沿下的一周凹弦纹，以及内外底的细密而均匀的工艺痕迹，不似手工而像是使用某种机械镟床的结果。类似的痕迹在其他犀角器物上似乎十分罕见，而在故宫博物院所庋藏的另一件牛角制球形小盒上可见同样的镟痕，其外包装盒上贴有"西洋仙工牛角球"字样，本此笔者推测这件犀角碗或许出自欧洲匠人之手，抑或局部曾经改制，至少是使用了西洋工艺手段。

## 149. 犀角光素折沿碗

明或清

高 6.8 厘米 口径 16.1 厘米

底径 8.3 厘米 重 440.4 克

**Bowl with flattened rim**
Ming or Qing dynasty
Height 6.8 cm
Diameter of mouth 16.1 cm
Diameter of bottom 8.3 cm
Weight 440.4g

器作敞口碗式，稍扁，折沿，方唇，玉璧式底。通体光素无纹，但造型稳重大方，磨工极佳，凸现出犀角本身的质地纹理之美。犀角是珍贵材料，得之者往往殚精竭虑，极尽雕镂之能事，而此作不加雕饰，以天然为本，显示出不俗的品味。

底刻剔地阳文"墨林"篆书印章款。"墨林"即项元汴（1525～1590年），字子京，号墨林居士，浙江嘉兴人，明代著名鉴藏家，蓄珍玩书画皆精。

然查造办处《活计档》，乾隆八年二月初二日"刻字作"下有"将犀角元（圆）盒一件代（带）往圆明园，查古画内有'墨林'二字，刻在盒底上"的记录。到初九日"画得口盒底下'子京'字样一件持进呈览，奉旨准刻"。十四日"奉旨将款作旧"。十八日完成[注1]。所记虽非此碗，但伪刻之款识却非常接近，故其年代还有待进一步探讨。

注1：见中国第一历史档案馆、香港中文大学文物馆合编《清宫内务府造办处档案总汇》第11册第354页，人民出版社，2005年。

### 150. 犀角夔纹碗

清中期

高 3.5 厘米  口径 10.6 厘米

底径 4.9 厘米  重 121.9 克

**Bowl with *Kui*-dragon design**

Middle Qing dynasty

Height 3.5 cm

Diameter of mouth 10.6 cm

Diameter of bottom 4.9 cm  Weight 121.9g

雕作碗式，壁厚，较浅，玉璧形底，器形圆整可爱。碗外为直壁，而内壁则成曲面，圆润过渡至边沿。口沿上阴刻几何装饰带一周。外壁纹饰主体雷纹地上两两相对夔纹三组，而口边则饰变体卷草纹，近足处饰几何纹。

此器打磨极佳，碗内光可鉴人，而细看又可见极细小的鱼子纹肌理，形成了只有犀角本身才具有的别致美感。

## 151. 犀角莲瓣式盘

清

高 2 厘米 长 11.3 厘米 宽 8 厘米

重 80.9 克

**Chalice in the shape of lotus petal**
Qing dynasty
Height 2 cm  Length 11.3 cm  Width 8 cm
Weight 80.9g

扁体，斜直壁，俯视呈莲瓣状。在内壁较阔处刻划四臂观音像，立体感甚强。其下饰法轮，一条阳线延伸至尖端的法螺纹。口沿饰两周连珠式圈点纹。外壁口边与底边刻变体莲瓣或几何纹装饰带，中间一周浮雕金刚及护法神十尊，浮雕较高。

此器器形独特，纹饰繁复，显与密教艺术有关，或有名之曰"圣水杯"者，未审确否。布达拉宫原藏有与此器形近似的牛皮质盘，应可对了解其用途有所帮助。

为香港收藏家叶义先生捐赠。

## 152. 犀角松鹿图笔架

明晚期

高 5.5 厘米　长 9.5 厘米　宽 3.5 厘米

重 68.7 克

**Brushrest with pine and deer design**

Later Ming dynasty

Height 5.5 cm

Length 9.5 cm　Width 3.5 cm　Weight 68.7g

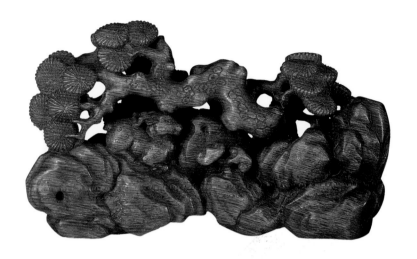

　　笔架下部雕作怪石嶙峋的嶒岩，上部雕枝繁叶茂的古松，而松荫下，灵芝丛生，一鹿俯卧。在很小的范围内划分出数个层次，营造出深远的意境。

　　此器以浮雕、镂雕等技法为主，造型小巧，刀法凝练，磨工上佳，将岩石的体积感和松树旺盛的生命力准确地塑造出来，是一件极具个性的犀雕艺术品。

　　此作为清宫旧藏，有清室善后委员会接收宫内文物所编千字文号：露字一〇六号，查《故宫物品点查报告》第二编第九册卷四可知当时收贮于敬事房，点查时间是民国十四年（1925 年）五月二十一日上午，记录在一木盘内第 18 号下："犀角雕花笔架一个。"

## 153. 犀角仙人乘槎图笔架

明晚期至清早期

高 6.4 厘米　长 10 厘米

重 34.4 克

**Brushrest with an immortal
in a log boat**
Later Ming to early Qing dynasty
Height 6.4 cm  Length 10 cm
Weight 34.4g

笔架雕作一节老树形，枝杈屈曲，又浮雕一长髯老者，斜卧其上，手执拂尘，葫芦滚落身畔。此器亦为乘槎题材，不过灵活使用边角材料，成一设计巧妙的案头清供。底刻阳文"尤雷复"篆书款。

下配染色象牙底座，雕成碧波翻卷状，衬托仙槎人物，颇为切题。

依记录，此器有千字文编号：昆字二〇一号，若据《故宫物品点查报告》，应为南库文物编号，但翻检第三编第二册卷二，昆二〇一下记为一"木柜"，内有文物共 89 号，并无与此作相似者，不知是否原记录有误，限于资料，暂且存疑。

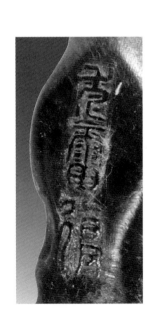

### 154. 犀角云纹圆盒

明

通高 1.8 厘米　径 4.4 厘米

重 28.4 克

**Miniature circular box**
**with cloud design**
Ming dynasty
Overall height 1.8 cm
Diameter 4.4 cm
Weight 28.4g

盒扁体，圆形，有盖，与盒身子母口相合。盖、身外壁各雕刻三朵如意云头纹，模仿漆器工艺中剔犀的装饰效果，线条圆转流利，打磨细腻入微，刀锋泯然无痕，效果惟妙惟肖。

此盒形制特殊，而又小巧玲珑，或为香盒之属，是犀角雕刻中颇富趣味的作品。

## 155. 犀角莲瓣纹委角方盒

清中期

通高 4.2 厘米

口长 4.6 厘米  口宽 3.8 厘米

底长 3.1 厘米  底宽 2.5 厘米

重 24 克

**Box with lotus petal design**
Middle Qing dynasty
Overall height 4.2 cm
Length of mouth 4.6 cm
Width of mouth 3.8 cm
Length of bottom 3.1 cm
Width of bottom 2.5 cm
Weight 24g

盒略呈委角长方体，盖身子母口相合，口边分别饰回纹带一周，并浅浮雕仰覆莲瓣纹相互呼应。盖顶于回纹地上浅浮雕变体云纹成卐字式。盒下配红木座，束腰三弯腿，花牙镂空如意云纹。

方盒与图版 156 方瓶虽然器形较小，使用的是边角余料，但制作却一丝不苟。其功用当是清宫中常见与香炉配套的匙箸瓶与香盒，造办处档案中偶见制作记录，如乾隆七年四月十六日，杂活作受命分别照一件犀角匙箸瓶之颜色配作香盒，照另一件犀角香盒的颜色配作匙箸瓶，并于次年二月十六日将新作瓶、盒并原样二件持进 注1。

注 1：中国第一历史档案馆、香港中文大学文物馆合编《清宫内务府造办处档案总汇》第 11 册第 31 页，人民出版社，2005 年。

## 156. 犀角兽面纹方瓶

清中期

高 8.6 厘米

口边长 2.1 厘米  宽 1.8 厘米

足边长 2.4 厘米  宽 1.9 厘米

重 38.4 克

**Square vase with monster mask design**
Middle Qing dynasty
Height 8.6 cm
Length of mouth 2.1 cm
Width of mouth 1.8 cm
Length of foot 2.4 cm
Width of foot 1.9 cm
Weight 38.4g

瓶直口，长颈，腹部外膨，高足外撇。外口沿与足边均刻剔地阳文折线锯齿纹，颈部上下各饰一周乳丁纹，其余光素。腹部每一面都于回纹地上饰图案化的变形兽面纹，以装饰性的扉棱为中线，左右对称，并有仰覆莲瓣纹为衬托。其造型挺拔，线条流畅，纹饰仿古而不拘泥，是一件很有时代特点的作品。

## 157. 犀角兽面纹扁瓶

清中期

高 10.7 厘米

最大口径 2.8 厘米

最大底径 3.3 厘米  重 71.7 克

**Small vase with monster**
**mask design**

Middle Qing dynasty

Height 10.7 cm

Diameter of mouth (maximum) 2.8 cm

Diameter of bottom (maximum) 3.3 cm

Weight 71.7g

器体扁圆，卷唇，长颈，溜肩，圆腹，玉璧式椭圆形底足。瓶身大部光素，只颈部一周以回纹为地，其上正背各饰一兽面，是模仿青铜器纹饰而来，以阴刻与极浅之浮雕手法完成，层次清晰。腹下部饰如意云纹。

此瓶应为香具三式中之匙箸瓶。其器壁较厚，但琢磨上佳，手感圆润，沉着大方，线条柔和，充分利用犀角本身的颜色、肌理，浅浮雕等技法运用恰到好处，显得格调不俗，颇堪玩赏。

## 158. 犀角螺旋纹瓶

清

高 10.4 厘米

口径 2.6 厘米  底径 3.2 厘米

重 54.5 克

**Miniature vase with spiral**
**flange design**

Qing dynasty

Height 10.4 cm

Diameter of mouth 2.6 cm

Diameter of foot 3.2 cm

Weight 54.5g

为香具三式中之匙箸瓶。直颈，圆腹，平底。器壁较厚，染色沉暗。以六道螺旋式凸棱为饰，外口、底因而均成六角形。装饰虽然简单，但制作规整，线条匀称，棱角分明，而又不失圆润可爱。外底中心刻一微凸圆饼形，似与圆形内口相呼应，颇具匠心。

此作有编号：胚字四号。胚字是集中点查清宫文物以后为统计遗漏所用的补号之一，主要用在端凝殿文物上。

## 159. 紫檀嵌犀角双龙饰盒

明晚期

盒：通高 6.7 厘米  最大径 21.5 厘米

犀角饰件：最大径 13.5 厘米

**Circular red sandal wood box with rhino horn plate inlay**

Later Ming dynasty

Box: Overall height 6.7 cm

Length (maximum) 21.5 cm

Rhinoceros horn plate:

Diameter (maximum) 13.5 cm

盒体应为清乾隆时制品，椭圆形，下承四垂云矮足，盖面浮雕云纹及四组团寿、团蝠纹，正中镶嵌犀角镂雕双龙饰件，龙纹虬劲，雕刻精美，利用犀角本身的色泽纹理，并结合染色加工，形成中间深四周浅的效果，带有巧雕的意匠，也与盒体相得益彰。

盒内有屉，为置放册页之用，册页为金士松所书，外题签"秩礼监（鉴）古"。

## 160. 犀角双龙纹饰件

明晚期

最大径 15 厘米　厚 1.1 厘米

重 106.2 克

**Oval plate with double dragon design**

Later Ming dynasty

Diameter (maximum) 15 cm

Thickness 1.1 cm　Weight 106.2g

饰件扁圆，镂雕双云龙。边框满雕水波纹，流畅细腻，二龙屈身相向，凸睛钩吻，颈鬣上扬，胁生双翼，尾生鳍脚，或即旧籍中所谓"应龙"形象。其余衬以流云，虽空间有限，但纹饰层次清晰，龙纹立体感颇强，带有一定时代特征。

此作应为册页盒之类器物盖顶所嵌装饰。

## 161. 犀角螭纹饰件

明晚期

长 10 厘米　宽 7.2 厘米

厚 1.5 厘米　重 77.6 克

**Oval plate with cloud and dragon design**

Later Ming dynasty

Length 10 cm　Width 7.2 cm

Thickness 1.5 cm

Weight 77.6g

扁体、椭圆形，两侧有断榫痕。正面镂雕螭纹。螭短吻独角，鬣分六缕，向两边飘散。为适应构图需要身体弯折，近于正龙式，脚爪伸展，与海水纹配合，颇富动感。螭瞳仁处内凹，似原有嵌，已脱缺。侧面阴刻回纹，背面雕刻有荷叶、荷花纹样。

此作为旧藏，可能原本镶嵌于如意或盒匣之上，是比较少见的一个品类。由于与主体分离，相关记录较为模糊，原收贮地不详。

## 162. 犀角嵌金银丝仿古纹扳指

清乾隆

高 2.3 厘米

最大径 3.1 厘米　最厚 0.5 厘米

扳指总重 98.1 克

**Archer's ring with *Kui*-dragon design
and gold and silver thread inlay**
Qianlong reign, Qing dynasty
Height 2.3 cm
Diameter (maximum) 3.1 cm
Thickness (maximum) 0.5 cm
Overall weight (Ring) 98.1g

略呈上小下大的圆柱形，外壁以金银丝嵌错仿古纹饰，边沿为锯齿纹，中为变形夔纹，并间隔插入"乾"、"隆"、"年"、"制"四圆框篆书款。金银丝布局合理，镶嵌工艺细致，与犀角颜色、质感恰成映衬，装饰效果颇佳。这只扳指现为成套之一，配有海棠式紫檀木盒。盒盖天覆地式，外嵌金银片夔纹饰，盒内分两层，每层可储四只扳指。故宫博物院尚存其七，每只尺寸、式样差相仿佛，然嵌金银丝纹饰有所区别：除另一只与前述者相同外，剩下五只只饰兽面，却无年款，而其中二只与另三只上兽

面又有差别，可知这一套扳指并非制于一时。

查《造办处档案》，乾隆十七年七月初六日做得"犀角商金银丝汉纹夔龙'乾隆年制'款班指一件"，所指应即这一套扳指中制作最早的一件。乾隆看后似比较满意，随即传旨"犀角班指再做一件，得时后亦商金银丝"[注1]。我们知道，带有年号款识的可信器物在犀角雕刻中极为罕见，而这组扳指不仅时代明确，且基本可以确定为造办处所制，其价值不言而喻。

扳指是由古代男子射箭时戴在大拇指上钩弦的"韘"演变而来的，清季满人尚武，以能引弓者为上，相习成风，扳指成了一种具有时代特色的男性流行饰物，而在材质、形制等方面也发生了很大的变化，像这组用犀角制作的扳指，内径甚小，很难戴于成年人指上，质料娇贵，亦不合拉弦之用，或只为摩挲赏玩与身份象征而已。

这一组作品为清宫旧藏，有清室善后委员会接收宫内文物所编千字文号：昆字一六七号，查《故宫物品点查报告》第三编第二册卷二可知当时收贮于南库，点查时间是民国十四年（1925年）七月六日上午[注2]，

记录在一木箱第68号下："角班指七个…（以上二号皆带木盒）。"

注1：见中国第一历史档案馆、香港中文大学文物馆合编《清宫内务府造办处档案总汇》第20册第380页，乾隆十九年八月二十七日"如意馆"条下押帖内开所记内容。查现存十七年《活计档》，只在四月初十日"杂活作"条下有"着通武用犀牛角做班脂"的记载。当月十一日，员外郎白世秀将"前库收贮犀牛角十一件"进呈乾隆挑选，十四日又将"画得英雄花纹纸样一张"呈览，后来乾隆不满于其进度缓慢，还于八月初三日于热河传旨催促："通武做的班指如何还不得？"到八月十五日活计才告完成。（见第18册第648页。）其花纹、承做时间与十九年的记载都略有出入，也未提年款。又乾隆二十二年五月十一日"木作"下载，乾隆命给内盛"犀角班指八件"的"商金银海棠盒"配锦匣锦袱"入乾清宫时做上等"。（见第23册第10页。）所记虽嫌简略，但极可能就是这一套。从《活计档》看，其时宫中同类制品应尚有一定数量。依《匠心与仙工：明清雕刻展·象牙犀角篇》可知台北故宫亦存4件（故雕111-114），带木套盒，据云原应有9件。

注2：《故宫物品点查报告·点查南库人员统计表》此时间下点查号数起止"至分号75"误作"至分号45"。

## 163. 犀角嵌金银丝灵仙祝寿纹开其里

清乾隆

高 11.5 厘米　底径 2.4 厘米　重 29.5 克

**Archer's ring with *Kui*-dragon design and gold and silver thread inlay**

Qianlong reign, Qing dynasty

Height 11.5 cm

Diameter of bottom 2.4 cm　Weight 29.5g

圆体，中空，筒式。细腰，平底，下部直径较上部大。有盖，弦纹一周似卷沿，设计巧妙，其上似盉形，配珊瑚珠及皮质穿系，其下有螺纹接口。通体嵌错金银丝为饰，局部可能有涂金修饰，致有磨脱，加之银丝氧化，与最初之装饰效果应有一定区别。主体纹饰为灵芝、丛竹，并以溪水、岸石为衬景，镶嵌精细，饶有画意。筒身弦纹之下与盖边卷沿之下饰卷叶纹，盖卷沿之上为花瓣与垂叶相间，都带有明显的西洋风味。

开其里，又写作开七里、开七立、开其立等，均为满语音译，指的是悬于腰间的牙签筒[注1]，在清代宫廷服饰用具中乃颇具民族特色的品种。

此作为清宫旧藏，有清室善后委员会接收宫内文物所编千字文号：芥字五一号，查《故宫物品点查报告》第五编第二册卷三可知当时收贮于造办处，点查时间是民国十四年（1925 年）五月十九日上午，记录为"象耳（牙？）开其里二十一件"，此为第 17 件。

注 1：参庄吉发《满文史料与雍正朝的历史研究》表 8"雍正朝《内务府活计档》满语汉字音译简表及内文例证"，见《为君难——雍正其人其事及其时代论文集》第 230、235 ~ 236 页，台北故宫博物院，2010 年。

## 164. 犀角布袋和尚

明晚期至清早期

高 7.9 厘米 最大底径 10 厘米

重 304.6 克

**Statuette of Calico-bag Monk**
Later Ming to early Qing dynasty
Height 7.9 cm
Diameter of bottom (maximum) 10 cm
Weight 304.6g

雕像呈深栗色，下部略浅。以圆雕技法随形刻划一胖大和尚，神情慈祥，咧口而笑，憨态可掬，袒胸露腹，赤足曲肱，右手持桃，斜倚布袋而坐。又雕小童数人于其身周肩上嬉戏调笑。器底部以木板封护。

布袋和尚即五代时僧人契此，民间传说为弥勒佛的化身，因此汉化佛教里常把弥勒表现成富态而平和的普通僧人形象。他成了一般信众心目中喜庆、健康、多福等美好愿望的化身。

这件犀角雕布袋和尚把人物的神态传达得活灵活现，其成就，可以说不仅在犀角雕刻中允称神品，即令置诸同时代的造型艺术领域也不遑多让。

此器为香港收藏家叶义先生捐赠。

## 165. 犀角桃花座女像

清

高 12.2 厘米 最大底径 11.5 厘米

重 422 克

**Statuette of Budhisattva with pedestal in the form of plum blossom**

Qing dynasty

Height 12.2 cm

Diameter of bottom (maximum) 11.5 cm

Weight 422g

圆雕女子像，略呈金字塔形。人物端坐，微阖双目，面庞团圞安祥，着敞领广袖深衣，挽髻戴冠，右手捧如意，左手持数珠，身侧倚凭几，其下桃花座上似铺设草叶为席。作品巧妙地利用了犀角的形态，并根据角材的色泽分布，使人物的面部等部分处于较深的区域，而服饰等则较浅，有力地突出了重点，意匠近于玉器工艺中的"俏色"。而其刀法也颇为流畅，衣纹的处理尤佳，局部镂雕的运用节制而恰到好处，在在均令此作不同凡响。至于其形象刻画则无白毫及璎珞之属，故庄严中又不失人间世的韵味，表现的是菩萨抑或另有其人，还有待进一步探讨。

作品为香港收藏家叶义先生捐赠。

## 166. 犀角嵌宝石云龙纹鞘羚羊角柄小刀

清中期

通长 28.9 厘米

鞘长 22 厘米　柄宽 2.4 厘米

总重 146.5 克　鞘重 58.9 克

**Ox-horn-handled knife and rhino horn
scabbard with precious stone inlay**

Middle Qing dynasty

Overall length (with ox-horn-handled knife) 28.9 cm

Length of scabbard 22 cm　Width of handle 2.4 cm

Overall weight 146.5g　Weight of scabbard 58.9g

刀鞘为犀角浮雕而成，狭长，稍稍束腰，线条优美，正背面各雕三条龙纹，并以云水为衬。刀柄则为羚羊角制成，光素无纹，内挖空槽分储金属镊子、耳勺、象牙牙签各一。铜鎏金嵌石柄首，可开启为盖。象牙制椭圆环，套于柄上，恰成格状。刀锋尖锐，有鎏金兽纹吞口。柄与鞘上之铜活装饰均鎏金錾花镶嵌红、绿、蓝三色石料，其工艺保有蒙藏地区的风格。此器将多种材质汇集一身，是一件颇具特点的器具。

其鞘上犀角雕刻深受当时牙雕工艺的影响，细腻入微，构图繁复，在很小的浮雕高度内划分出多个层次。从《造办处档案》中我们可以找到有黄兆制作"乌角雕宋龙小刀鞘"的记录，证明此类作品确有可能出自牙雕匠人之手[注1]。而另一处提到的"犀角商丝鞘花羊角靶小刀"则亦当与其十分接近[注2]。

此器有编号：觉二五号，查相关记录，为1955 ~ 1958 年间所使用的补号，主要针对大规模点查后遗漏的旧藏文物。

注 1：乾隆二十年六月十二日"如意馆"条下："着黄兆所作乌角雕宋龙小刀鞘周围往精细里收拾。"见中国第一历史档案馆、香港中文大学文物馆合编《清宫内务府造办处档案总汇》第 21 册第 306 页，人民出版社，2005 年。

注 2：乾隆十九年三月二十七日"如意馆"条下："着将犀角商丝鞘花羊角靶小刀一把（随缏子）交如意馆收拾。"《清宫内务府造办处档案总汇》第 20 册第 364 页。

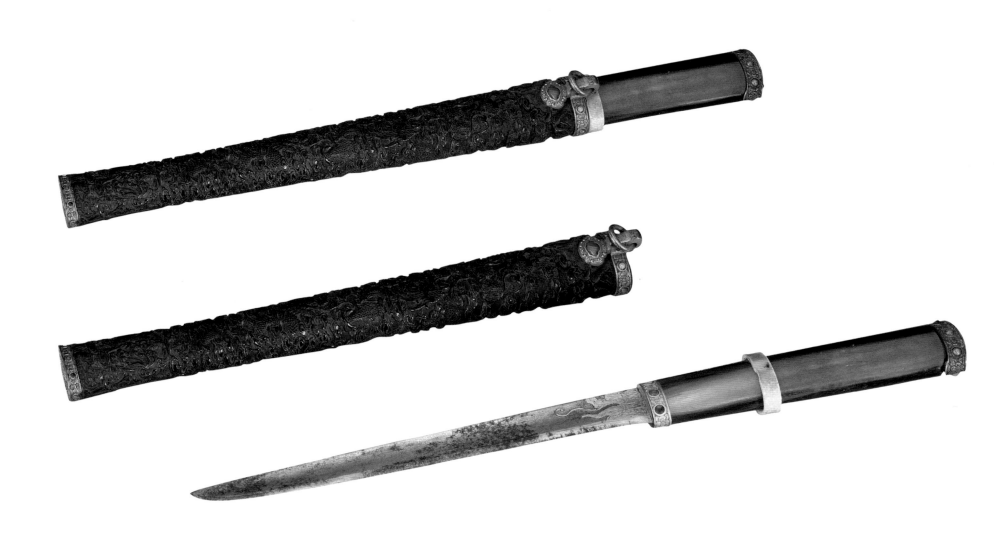

## 167. 犀角狮形小铡刀

近代

犀角部分：高 4.7 厘米  长 15.5 厘米

厚 3 厘米  总重 154.6 克

**Miniature cutter with rhino horn pedestal
in lion form**

Pre-modern

Rhinoceros horn : Height 4.7 cm  Length 15.5 cm

Thickness 3 cm  Weight 154.6g

刀架是以犀角圆雕成一颔首狮子形。尾部斜伸出一多节柱状饰，中空，每节均刻变体莲瓣纹，其上高浮雕一小狮纹，前置镂空多孔绣球，小狮与绣球以绦带相连，绦带延伸衔于大狮口内。刀轴位于大狮腮部，刀短而阔，已锈蚀，可以打开约 30°角，有环形护手把。经试用，单手即能操作，拇指持刀把，五指握圆柱，环节处刚好便丁手指拿捏。大狮臀部有一圆钮，似可供穿系佩带。

这种小铡刀据说在 19 世纪流行于云南地区，为当地上层人士开果壳的用具。

此器为香港收藏家叶义先生捐赠。

# 图版索引

# Index of plates

# 编后记

西儒勃兰兑斯尝有妙语：鱼在大海中，海在鱼体内，正足以譬喻事物整体与各局部之间的辩证关系。面对浩瀚的传统文化，犀角雕刻工艺不过是一尾小鱼、一个冷门，然而其关涉的问题却比想象中更深且广。本书文字从就事论事转向如前人论木华作《海赋》时所谓"于海之上下四旁言之"，经过了多次扩展、重编和改写，正好记录了笔者不断深入的认识过程。记得下笔时，每每面对千头万绪、矛盾丛杂兴起废然而止之意，孔夫子所谓"文献不足"的感叹更所在多有，虽然也并没有把握"足则吾能征之"。就这样时作时辍，用去的时间和精力已大大超出最初的预期。

现在，书终于将要付梓，笔者却并未感到轻松，私心里不免盼它雅俗共赏，又生怕这"肥硗"招徕的只是两条长凳坐了个空的讪笑。人说书自有其命运，作者不能左右。那就祝它好运。

最后，当然要逐一感谢助产过本书的师友。万钧老师是选题的发起者，还容忍了笔者无限度的拖沓；责编方妍小姐、张志辉先生半途接手，却迅速进入角色，承担了很多细致而琐碎的工作，保证了本书的质量；郭雅玲老师在拍摄文物和使用照片时提供了很多帮助，她的专业、谨严与长辈风仪都令我难忘；许晓东女史中英文造诣都远在笔者之上，却不吝惜时间与精力，翻译了大量内容，还提出很多有益的意见；笔者的朋友张艾小姐也不厌其烦地为多次变动的内容校核英文；同仁杨勇先生，则提供了多条《活计档》中的线索，省去笔者不少翻检之劳；张林杰先生和谢丽小姐在日常工作中对笔者助益良多，没有他们的配合，本书的编写是无法想像的；他们二位与刘静老师还十分大度地允许笔者以《捐赠大家·叶义》一书中的部分文物说明为基础，进行文字与体例的统一。

师友的帮助减少了书中的错误和疏漏，但限于笔者的识见与才力，方方面面的问题一定还有很多，尚希读者不吝赐教。

刘岳

辛卯年八月

# 后记

《故宫经典》是从故宫博物院数十年来行世的重要图录中，为时下俊彦、雅士修订再版的图录丛书。

故宫博物院建院八十余年，梓印书刊遍行天下，其中多有声名皎皎人皆瞩目之作，越数十年，目遇犹叹为观止，珍爱有加者大有人在；进而愿典藏于厅室，插架于书斋，观赏于案头者争先解囊，志在中鹄。

有鉴于此，为延伸博物馆典藏与展示珍贵文物的社会功能，本社选择已刊图录，如朱家溍主编《国宝》、丁倬云主编《紫禁城宫殿》、王树卿等主编《清代宫廷生活》、杨新等主编《清代宫廷包装艺术》、古建部编《紫禁城宫殿建筑装饰——内檐装修图典》等，增删内容，调整篇幅，更换图片，统一开本，再次出版。唯形态已经全非，故不再蹈袭旧目，而另拟书名，既免于与前书混淆，以示尊重；亦便于赓续精华，以广传布。

故宫，泛指封建帝制时期旧日皇宫，特指为法自然，示皇威，体经载史，受天下养的明清北京宫城。经典，多属传统而备受尊崇的著作。

故宫经典，即集观赏与讲述为一身的故宫博物院宫殿建筑、典藏文物和各种经典图录，以俾化博物馆一时一地之展室陈列为广布民间之千万身纸本陈列。

一代人有一代人的认识。此番修订，选择故宫博物院重要图录出版，以延伸博物馆的社会功能，回报关爱故宫、关爱故宫博物院的天下有识之士。

2007 年 8 月